C0-AZW-455

선물

전세계 6천만 독자의 인생을 바꾼 위대한 베스트셀러
《누가 내 치즈를 옮겼을까》 그 두번째 이야기

선물

Spencer Johnson

스펜서 존슨 지음 | 형선호 옮김

랜덤하우스

차례

이야기를 시작하기 전에

어느 늦은 오후, 빌 그린은 예전 직장 동료였던 리즈 마이클즈에게서 급한 전화를 받았다.

빌이 큰 성공을 거두었다는 소식을 들은 리즈는 곧바로 용건부터 말했다.

"당신을 빨리 만나고 싶은데, 시간이 되나요?"

빌은 그녀의 목소리에서 다급함을 느낄 수 있었다. 빌은 쾌히 승낙하고 다음날 점심 시간에 만나기로 약속했다. 식당 안으로 들어서는 리즈의 모습이 아주 피곤해 보였다.

잠시 안부를 묻고 음식을 주문한 뒤 리즈가 빌에게 말했다.

"얼마 전에 해리슨의 일을 넘겨받았어요."

"축하합니다. 당연히 승진할 줄 알았어요."

"고마워요. 하지만 해야 할 일이 너무 많아요. 당신이 퇴사한 뒤에 많은 변화가 있었거든요. 직원들은 줄었는데 업무는 더 늘었어요. 아무리 일해도 시간이 부족해요. 때로는 집에서도 일을 해야 하고요. 게다가 왠지 인생이 즐겁지가 않아요. 참, 그건 그렇고……. 빌, 당신은 좋아 보이는군요."

리즈가 화제를 바꾸며 다시 말했다.

"실제로 좋으니까 좋아 보이겠죠."

빌이 싱긋 웃으면서 말했다.

"이제는 일도 그렇고 생활도 그렇고, 전보다 훨씬 더 즐겁습니다. 이보다 더 좋을 순 없을 겁니다!"

"그래요? 무슨 좋은 일이라도 생겼나요?"

빌이 즐겁게 웃으면서 말했다.

"꼭 그런 건 아니지만, 이제는 삶이 즐겁기만 합니다. 일 년 전부터 즐거워지기 시작했어요."

"무슨 계기라도 있었어요?"

리즈가 궁금한 표정으로 물었다.

빌은 찬찬히 설명했다.

"전에 내가 어떤 업무가 떨어지면 나 자신은 물론이고 주위 사람들을 얼마나 몰아붙였는지 기억해요? 그 때문에 우리는 엄청난 시간과 에너지를 소비했죠."

리즈가 웃으면서 대답했다.

"맞아요. 그러고 보니 기억나네요."

빌이 싱긋 웃으면서 말했다.

"정말 그랬죠! 그 동안 몇 가지를 배웠습니다. 그리고 나와 함께 일하는 많은 사람들도 마찬가지고요. 이제 우리는 훨씬 더 짧은 시간에, 스트레스도 덜 받으면서 더 좋은 결과를 얻고 있습니다. 뿐만 아니라, 이제 인생이 더 한층 즐겁기까지 한걸요."

"무슨 일이 있었나요?"

리즈가 더욱 궁금해하며 물었다.

"리즈, 아마 내 말을 믿지 못할걸요."

"무슨 말인데 그래요?"

빌은 잠시 멈추었다가 말을 이어갔다.

"내가 아는 좋은 친구에게서 멋진 이야기를 들었어요.

알고 보니 정말 소중한 선물이었어요. 그 이야기 제목은 '세상에서 가장 소중한 선물' 이에요."

"무슨 내용인데요?"

리즈가 더욱 궁금한 표정으로 물었다.

"어떤 젊은이가 인생과 일에서 새로운 길을 발견하고 행복과 성공을 달성한 이야기랍니다. 그 이야기를 듣고 많은 생각을 했습니다. 그리고 거기에서 얻은 교훈을 어떻게 활용할지 생각한 후, 일과 삶에서 실제로 적용시켜봤어요. 그 이야기는 큰 변화를 가져다 주었고, 다른 사람들도 똑같은 변화를 느끼기 시작했습니다."

"어떤 변화를 말하는 거죠? 어떻게 변했는데요?"

"그러니까, 이제 일에 더 잘 집중합니다. 일상적인 일들에서 전보다 더 많은 것을 배우며, 미래를 계획하는 데도 능숙해졌죠. 이제 어떤 것이 중요한지 정확히 알고, 그런 것들을 집중해 처리할 수 있는 데다, 쓸데없이 시간을 낭비하지도 않습니다."

"그 모든 것이 단 하나의 이야기에서 비롯됐다는 말인

가요?"

리즈가 믿기 어렵다는 표정으로 되물었다.

"적어도 내 경우에는 그래요. 물론 그 이야기에서 무엇을 얻느냐는 사람들마다 다르겠죠. 어떤 상황에서 이야기를 들었는가에 따라 결과가 달라진다는 말이죠. 어떤 사람들은 아무 교훈도 얻지 못할 수도 있을 테고요."

빌이 계속해서 말했다.

"그 이야기는 현실에 적용할 수 있는 우화입니다. 중요한 것은 어떤 이야기인가가 아니라, 사람들이 이야기에서 무엇을 얻는가 하는 것이겠고요."

"내게도 그 얘길 들려줄 수 있나요?"

빌은 잔을 들어 물을 마시고 나더니 차분하게 얘기했다.

"리즈, 솔직히 이야기하기가 조금 망설여지는데요. 당신은 매사에 부정적인 것 같아 보여서요. 게다가 이 이야기는 당신이 믿지 않으려는 그런 이야기거든요."

그 말을 듣고 리즈는 조금 겸연쩍은 표정을 지어 보였다. 리즈는 자신이 직장에서, 그리고 일상에서도 늘 힘든 상황에 놓여 있다고 고백했다. 그러면서 그녀는 도움이 절실해서 빌을 꼭 만나고 싶었다고 말했다.

빌은 자신도 그런 기분이 들었던 때가 있었던 것을 떠올렸다.

"빌, 정말로 그 이야기를 듣고 싶어요."

사실 빌은 늘 리즈를 좋아했고 존경했다. 그래서 이야기를 들려주기로 했다.

"물론이에요. 하지만 먼저, 그 이야기에서 어떤 교훈을 얻을지는 당신에게 달려 있다는 것을 알아야 합니다."

"그리고 리즈,"

빌이 잠시 말을 끊었다가 계속했다.

"그 이야기에서 교훈을 얻게 되면 다른 사람들에게도 알리겠다고 약속해줘요."

리즈가 그러마고 하자 빌은 본격적으로 이야기를 시작했다.

"처음 이야기를 들었을 때는, 생각했던 것보다 훨씬 더 교훈적인 내용이라는 걸 알게 됐어요."

"그래서 메모를 해가면서 소중한 교훈을 적기 시작했죠."

리즈는 그것이 무엇인지 더 궁금해졌다. 그녀는 작은 수첩을 꺼내 메모를 하기 시작했다. 그러고는 이렇게 말했다.

"이제 이야기를 들을 준비가 됐어요."

이윽고 빌은 '세상에서 가장 소중한 선물' 이야기를 시작했다.

세상에서 가장 소중한 선물

옛날에 한 소년이 살고 있었다. 소년은 지혜로운 노인이 들려주는 이야기를 귀담아들으면서 '세상에서 가장 소중한 선물'에 대해 배우게 됐다.

소년과 노인이 서로 안 지는 1년이 넘었으며, 그들은 함께 얘기하는 것을 즐거워했다.

어느 날 노인이 소년에게 말했다.

"내가 하는 이야기 제목이 '세상에서 가장 소중한 선물'인 까닭은 이보다 더 소중한 게 없기 때문이란다."

"그게 왜 그렇게 소중한데요?"

"이 선물을 받고 나면, 네가 더 행복해지고 원하는 건 무엇이든지 훨씬 더 잘할 수 있게 될 테니까 그렇지."

"정말요?"

소년이 놀라서 그렇게 말했지만, 그 말뜻을 다 이해하지는 못했다.

"언젠가 꼭 그런 선물을 받았으면 좋겠어요. 내 생일날 받으면 정말 좋을 텐데."

소년은 그렇게 말한 뒤 곧 어디론가 놀러 갔다.

노인은 그저 빙긋이 웃기만 했다. 노인은 얼마나 많은 생일이 지나야 어린 소년이 그 선물의 진정한 가치를 알게 될까 궁금했다.

노인은 소년이 동네에서 뛰노는 것을 즐겁게 지켜보았다. 종종 소년의 얼굴에 환한 미소가 떠오르는 것을 보았고, 소년이 나무에 매단 그네를 타면서 즐겁게 웃는 소리를 들었다.

소년은 늘 행복해했고, 무엇이든지 자신이 하는 일에 홀딱 빠져들었다. 그런 소년을 지켜보는 사람들 역시 모두 즐거워했다.

토요일 아침이면, 노인은 소년이 길 건너에서 잔디를 깎는 것을 지켜보곤 했다. 소년은 휘파람을 불어가며 일했다. 노인의 어린 친구는 무엇을 하건 늘 행복한 것 같았다.

어느 날 아침 노인을 본 순간, 소년은 언젠가 노인이 '세상에서 가장 소중한 선물' 을 들려준 것을 기억해냈다.

소년은 그 동안 자신이 받은 선물들을 하나하나 생각해봤다. 지난번 생일날 받은 자전거, 성탄절 아침에 크리스

마스 트리 밑에서 발견한 선물 같은 것이 떠올랐다. 하지만 그런 것들은 즐거운 마음이 그리 오래 가지 않았다. 그래서 노인이 얘기한 선물이 더욱 궁금해졌다.

'그 선물은 뭐가 그리 특별할까? 나를 더 행복하게 만들고, 일을 더 잘하게 만드는 게 과연 뭘까?'

더욱 궁금해진 소년은 길 건너편의 노인을 찾아갔다. 소년은 그 또래의 어린아이답게 물었다.

"할아버지가 말씀하신 선물이란 게 모든 소원을 들어주는 마술 지팡이 같은 건가요?"

소년의 질문에 노인은 웃으면서 말했다.

"그건 아니란다. 마술이나 소원과는 관계없단다."

그 말이 무슨 뜻인지 선뜻 이해되지 않은 소년은 하던 일을 계속했지만, 속으로는 궁금증이 더 커져갔다.

나이를 한 살 두 살 먹어 가면서도 소년은 내내 그 '선물' 이 여전히 궁금하기만 했다.

소원과 관계가 없다면, 어딘가 특별한 곳으로 데려다 주는 걸까? 이곳과 완전히 다른 곳일까? 마을 사람도, 옷도, 말도, 집도, 돈까지도 다른 먼 나라로 여행을 가는 것일까? 나는 어떻게 그런 곳에 갈 수 있을까?

궁금증을 견디다 못한 소년은 다시 노인을 찾아갔다.

"그 소중한 선물이란 게…… 어디든지 제가 원하는 곳으로 데려다 주는 타임머신 같은 건가요?"

"그것도 아니란다. 네가 그 선물을 받을 때쯤이면, 더 이상 어딘가로 가고 싶은 꿈 따위는 필요없을 거야."

세월이 흘러 소년은 십대 청소년이 되었다. 하지만 나이가 들수록 불만은 점점 더 커져갔다. 나이가 들수록 더 행복해질 것이라고 기대했는데, 오히려 갖고 싶은 것만 늘어났다. 친구는 물론 갖고 싶은 물건도 더 늘었고, 좀더 재미있는 것을 원하고 있었다.

급한 마음에 소년은 더 넓은 세상에 나가 무언가를 이루고 싶었다. 그때 노인과 나누었던 이야기들이 떠올랐고, 그 '선물' 에 대한 생각이 점점 더 커졌다.

소년은 다시 노인을 찾아갔다.

"그 선물이란 것이 저를 부자로 만들어주는 그런 거예요?"

"그래, 그럴 수도 있지. 그게 너를 얼마든지 부자로 만들 수 있어. 하지만 그 가치를 금이나 돈으로는 따질 수가 없단다."

그 말에 소년은 더욱 혼란스러워졌다.

"그 선물을 받으면 더 행복해질 거라고 하셨잖아요."

"그래, 분명히 그랬지. 그뿐만이 아니다. 네가 무엇을 하건 훨씬 더 잘할 수 있단다. 분명히 너는 더 큰 성공을 거둘 거야."

"더 큰 성공이란 게 무슨 뜻이죠?"

"성공이란 그게 무엇이든 네가 중요하게 여기는 것을 향해 나아가는 것이란다. 지금 네 경우에는 학교에서 좋은 점수를 받고, 운동 경기에서 실력을 발휘하고, 부모님과 잘 지내고, 방과 후에는 좋은 아르바이트 자리도 얻고……. 그래서 수입이 많아지는 것일 수도 있겠지. 아니면 그냥 인생을 즐겁게 살면서 네가 가진 것에 대해 감사하는 마음일 수도 있겠지."

"그렇다면 그 성공이란 게 저 스스로 결정해야 한다는 말씀인가요?"

"우리 모두 그래야지. 성공이란 누구나 인생의 여러 단계에서 스스로 결정한 그 무엇이란다."

"음……. 지금까지 그 누구도 제게 그런 선물을 준 적이 없었어요. 실제로 그런 얘기를 들은 사람도 없을 거예요. 그래서 그런 게 있다는 생각도 들지 않아요."

"아니, 그렇지 않다. 그건 실제로 있단다. 내가 볼 때는 네가 아직 제대로 이해를 못하는 것 같구나."

그 선물이 무엇인지
당신은 이미 알고 있다.

그것을 어디에서 찾아야 하는지
당신은 이미 알고 있다.

그리고 그것이 어떻게 행복과 성공을 가져다 주는지
당신은 이미 알고 있다.

지금보다 더 어렸을 때
당신은 그것을 가장 잘 알고 있었다.

다만 잊었을 뿐이다.

이번에는 노인이 소년에게 물었다.

"네가 지금보다 더 어렸을 때 말이다. 잔디를 깎을 때, 즐겁더냐 아니면 괴롭더냐?"

"즐거웠죠."

이제는 조금 더 자란 소년이 대답했다.

"왜 좋았을까?"

소년은 잠시 생각에 잠겼다가 대답했다.

"그때는 그 일을 아주 좋아했으니까요. 제가 그 일을 아주 잘해서 동네 어른들이 잔디 깎는 일을 죄다 제게 맡겼거든요. 그래서 아이치고는 꽤 많은 돈을 벌었어요."

"그러면 그때 그 일을 하면서 무슨 생각을 했니?"

"열심히 잔디 깎는 일만 생각했죠. 어떻게 하면 장애물을 피해서 잔디를 예쁘게 깎을까 그런 생각만 했어요. 어떻게 하면 더 빨리 잔디를 깎고, 더 잘할 수 있는지만 몰두했어요. 하지만 무엇보다 제가 맡은 일에만 열중했어요."

소년은 당연하다는 듯 잔디 깎는 일을 설명했다.

그러자 노인은 몸을 앞으로 숙이며 소년에게 말했다.

"바로 그거야. 그랬기 때문에 너는 아주 행복했고 성공했던 것이지."

아쉽게도, 십대에 접어든 소년은 방금 들은 이야기를 곰곰이 생각하지 않았다. 아니, 오히려 전보다 더 마음이 급해졌다.

"할아버지, 제가 정말로 행복하기를 바라신다면, 왜 그냥 그 선물이 무엇인지 알려주시지 않나요?"

그러자 노인이 되물었다.

"그리고 어디에서 찾을 수 있는지도?"

"예."

"나도 그러고 싶다. 하지만 내게는 그런 힘이 없단다. 그 어떤 사람도 다른 사람에게 그 선물을 대신 찾아줄 수는 없단다. 그건 네가 스스로 찾아야 해. 오직 너 자신만이 그걸 발견할 수 있는 힘을 갖고 있지."

그 말에 실망한 소년은 노인에게서 멀어져갔다.

십대를 지나 청년으로 성장하는 동안 그는 어떻게든 자기 스스로 그 선물을 찾아야겠다고 다짐했다.

그는 신문, 잡지, 책들을 닥치는 대로 읽었다. 친구들이나 가족들과도 많은 이야기를 나누었다. 인터넷도 열심히 뒤졌다. 그리고 먼 곳을 여행하며 만나는 모든 사람들에게 답을 구하기도 했다. 하지만 아무리 열심히 찾아도 그것이 무엇인지 알려주는 사람은 없었다.

그렇게 오랜 시간이 흐르면서 젊은이는 너무 지치고 낙심해서 그 일을 포기하고 말았다. 대신 그 지역의 어떤 회사에 입사했다. 주위 사람들은 그가 일을 잘한다고 칭찬이 자자했다. 하지만 그 자신은 늘 마음 한켠에 무언가 빠진 듯한 허전한 기분이 들었다.

직장에서는 어느 회사로 옮기면 일을 더 재미있게 할 수 있을까 하는 생각만 들었다. 또, 퇴근하면 집에서 뭘 할까 하는 궁리만 했다. 회의 시간이건, 친구들과 즐겁게 대화를 하건 그의 마음은 종종 다른 곳에 가 있었다. 식사를 할 때도 마음이 심란해 음식 맛도 제대로 느끼지 못할 지경이었다.

업무는 제대로 처리했지만, 그보다 훨씬 더 잘할 수 있다는 것도 알고 있었다. 솔직히 최선을 다하고 있지 않다는 것을 알면서도 자신의 일이 정말 중요하다는 기분은 들지 않았다.

얼마 후, 젊은이는 자신이 불행해져버렸다는 사실을 깨달았다.

그는 자신이 그저 열심히 일하고 마땅히 해야 할 일을 해왔다고 생각했다. 좀처럼 지각하는 일도 없었고, 날마다 해야 할 일은 제대로 처리했다고 여겨왔다. 그래서 승진하고 싶었다. 그러면 행복해질 것 같았다.

그러던 어느 날, 자신에게 돌아와야 할 승진을 다른 사람에게 빼앗겼다는 사실을 알게 되었다. 그는 무척 화가 났다. 왜 자신이 승진 대상에서 누락되었는지 도저히 이해할 수가 없었다.

하지만 화를 낼 수도 없는 분위기라 겉으로 드러내지 않으려 애썼다. 그 때문에 속으로는 늘 화가 나 있었고, 그 화를 삭이느라 쓸데없는 애만 썼다. 화가 난 상태라 자연히 업무 능률도 떨어지기 시작했다.

주위 사람들에게는 승진 따위, 아무 상관없다는 듯 대수롭잖게 행동했지만, 마음 깊은 곳에서는 자책하고 있었다.

'나는 정말 성공에 필요한 조건을 갖추고 있는 걸까?'

사생활도 그리 상황이 좋지 않았다. 여자 친구와 헤어진 것을 극복하지 못하고 있었다. 과연 진정한 사랑을 찾을 수 있는지, 남들이 부러워하는 화목한 가정을 꾸릴 수 있는지도 걱정스러웠다.

이제 하루하루 살아가는 것이 힘겹기까지 했다. 왠지 모르게 모든 일이 어긋나는 것 같았고, 업무도 제대로 마무리되지 않았다. 꿈과 목표는 도저히 달성할 수 없었다. 자신이 어렸을 때 주위 사람들에게 떠벌렸던 일들을 하나도 이루지 못하고 있다고 느꼈다.

퇴근 후 집에 도착하면 점점 더 피곤하고 절망감만 커졌다. 자신의 일에 좀처럼 만족할 수도 없었다. 이제 어떻게 해야 할지조차 판단할 수 없었다.

그때 어린 시절이 불현듯 떠올랐다. 삶이 더 단순했던 때였다. 노인과 나눈 이야기들과 '소중한 선물' 이 새삼스럽게 다가왔다.

그는 자신이 원했던 것만큼 행복하지도, 성공을 거두지

도 못한 느낌이 들었다. 그리고 노인이 들려준 그 '선물'이 무엇인지 자세히 알아보지 않은 것을 후회했다.

이제 노인과 이야기를 나눈 이후 엄청난 시간이 흘러버렸다. 그 동안 자신이 잘못 살아왔다는 당혹감이 들었다. 다시 노인을 찾아가서 도움을 구한다는 것이 부끄러웠다. 하지만 직장과 일상 생활 모두 도저히 만족할 수 없는 노릇이라 노인을 찾아갈 수밖에 없다는 생각이 들었다.

노인은 그를 반갑게 맞아주었다. 그의 표정에서 세파에 지치고 무너진 마음의 상처를 읽었기 때문이었다. 노인은 안쓰러운 얼굴로 무슨 생각을 하고 있는지 솔직히 털어놓으라고 말했다.

그는 '선물'을 찾으려고 했지만 끝내 찾지 못했다는 것과 왜 그 꿈을 포기했는지 있는 그대로 말했다. 아울러 자신의 어려운 처지를 이야기했다.

그런데 놀랍게도, 노인과 따뜻한 대화를 나누는 동안 상황이 그렇게까지 나쁜 것만은 아님을 알게 되었다. 두 사람은 함께 웃고, 이야기를 나누면서 화기애애한 시간을 보냈다.

그는 노인과 함께 보내는 시간이 이렇게 즐겁다는 것을 새삼 깨달았다. 노인과 함께 있으면, 훨씬 더 행복하고 힘이 넘치는 것 같았다. 그는 왜 유독 노인은 다른 사람들보다 더 힘차고 생기가 넘치는지 궁금했다. 무엇이 이분을 이렇게 특별한 사람으로 만드는 것일까?

"할아버지와 함께 있으면 기분이 아주 좋습니다. 그것

도 할아버지가 말씀하신 그 '소중한 선물' 과 무슨 관계가 있나요?"

"물론이지. '소중한 선물' 덕분이라네."

"저도 그 선물을 찾을 수 있으면 정말 좋겠네요."

노인은 다정한 얼굴로 그를 바라보며 말했다.

"정말 그 선물을 찾고 싶다면, 자네가 가장 행복했고 가장 성공적이었던 때를 생각해보게. 자넨 이미 어디서 그걸 찾아야 할지 알고 있네. 다만 그걸 깨닫지 못할 뿐이지."

노인의 말은 계속 이어졌다.

"대신 그걸 찾으려고 너무 애쓰지 말게. 그러면 좀더 쉽게 찾을 수 있을 게야. 그 선물은 분명히 자네 곁으로 다가올 거네."

말을 마친 노인은 그에게 한 가지 제안을 했다.

"잠시 시간을 내서 일상 생활에서 벗어나보고, 조용히 해답을 찾아보는 게 어떻겠나?"

노인의 조언대로 그는 호젓한 산 속에 있는 별장에서 잠시 지내보라는 친구의 제의를 받아들였다. 혼자 숲속에서 지내는 동안 그는 모든 것이 느리게 움직인다는 것을 느꼈다. 그 때문에 삶이 전혀 다른 모습으로 나타난다는 것도 경험했다.

오랫동안 숲속을 산책하면서 그는 삶을 돌아보았다.

'왜 내 삶은 할아버지와 다를까?'

처음에는 그 점이 궁금했지만, 어느덧 검소한 노인의 삶이야말로 진정한 의미에서 큰 성공이라는 점을 깨달았다.

노인은 손꼽히는 기업에 말단 사원으로 들어가 가장 높은 지위까지 올라간 분이었다. 노인은 다양한 방법으로 자신이 속한 조직을 공동체로 여기고 적극적으로 도왔다. 노인에게는 든든하고 사랑스런 가족이 있었고, 친한 친구들도 많아서 방문객이 자주 찾아왔다. 유머 감각도 뛰어날 뿐만 아니라, 세상을 살아가는 지혜를 갖추고 있어서 다른 사람들이 기뻐하고 존경했다.

무엇보다 중요한 것은 흔히 볼 수 없는 평온함이었다.

젊은이는 미소를 지으며 생각했다.

'게다가 그분은 여느 젊은이 못지않은 활력까지 갖고 있지.'

노인은 분명히 자신이 만난 사람들 중에 가장 행복하고 성공한 사람이었다. 그렇다면, 그 성공 비결은 과연 무엇일까?

호수 주위를 한참 동안 거닐면서, 그는 자신이 알고 있는 그 '선물'을 하나하나 떠올려 보았다. 그 핵심은 바로 이것이었다.

> 그 선물은 네 스스로 받는 것이다. 너는 어렸을 때 그것을 가장 잘 알고 있었다. 다만 지금 그것을 잊었을 뿐이다.

하지만 현실은 여전히 너무나 힘든 상황이었다. 자신이 절실히 바라던 승진에서 누락되었을 때가 잊혀지지 않고 계속 맴돌았다. 마치 어제 일처럼 생생해서 아직도 화가 났다. 그 생각만 하면 다시 직장으로 돌아가는 것이 걱정스러웠다.

그러는 사이에 어느덧 땅거미가 지고 있었다. 그는 급히 오두막집으로 돌아갔다. 안으로 들어온 뒤 추위를 물리치기 위해 불을 지폈다. 그 순간 전에 못 보던 게 눈에 띄었다.

모닥불을 들여다보면서 처음으로 이 오두막의 멋진 벽난로를 알아차렸다. 그것은 크고 작은 돌들로 만든 것이었는데, 꼭 필요한 분량의 회반죽이 그 돌들을 연결하고 있었다. 아주 세심하게 돌을 고르고 깎아서 서로 완벽하게 맞추어놓은 벽난로였다.

그런 사실들을 알아차리고 나니, 이제는 그것을 감상하고 즐길 수 있었다. 누가 만들었는지는 모르지만 그걸 쌓은 사람은 단순한 벽돌공이 아니라 예술가였다.

벽난로의 뛰어난 만듦새에 새삼 감탄하면서 그는 벽돌공이 일을 하면서 어떤 기분이었을지를 생각했다.

그 사람은 벽난로 쌓는 일에 완전히 집중했을 것이었다. 일하는 동안 결코 다른 생각을 하거나 주의가 산만해지지도 않았을 것 같았다. 이 훌륭한 작품을 보면 충분히 짐작할 수 있는 일이었다. 한마디로 자신이 하는 일에 완전히 몰두한 것이다.

지나간 사랑이나 그날 저녁 식사에 대해서는 전혀 생각하지 않았을 것이다. 또 일을 마친 뒤에 뭘 할까 하는 마음에 조급하지도 않았을 것이다. 오로지 지금 해야 할 일에만 전심전력했다는 것을 알 수 있었다. 그랬으니 일을 그렇게 성공적으로 마쳤을 것이다.

예전에 노인에게서 들었던 말이 떠올랐다.

"정말 그 선물을 찾고 싶다면, 자네가 가장 행복했고 가장 성공적이었던 때를 생각해보게."

그는 어려서 잔디를 깎던 일을 노인과 함께 이야기했던 기억을 떠올렸다. 그때 그는 잔디 깎는 일에만 정신을 집중해서 다른 일에는 전혀 관심도 주지 않았었다.

"지금 하는 일에 완전히 몰두할 때 넌 산만하지 않고 행복하다."

노인은 그렇게 말했었다.

"너는 바로 지금 일어나는 일에만 정신을 집중한다."

그제서야 오랫동안 그런 기분을 느끼지 못했다는 걸 깨달았다. 직장뿐만 아니라 다른 분야도 마찬가지였다. 쓸데없이 과거에 대한 후회나, 미래에 대한 불안에 사로잡히곤 했었다.

그는 오두막집 안을 찬찬히 살펴보았다. 그러고는 다시 모닥불을 바라보았다. 그 순간 그는 과거를 생각하지 않았다. 미래에 대한 불안도 잊고 있었다. 그냥 지금 자신이 있는 곳을, 그리고 지금 자신이 하는 것을 즐기고 있었다.

이윽고 미소가 떠올랐다. 기분이 아주 좋아진 것을 느낄 수 있었다. 그는 오직 자신의 *현재(The Present)를 그냥 즐기고 있었던 것이다. 지금 이 순간에 존재하고 있는 자신을 즐기고 있을 뿐이었다. 그 순간 갑자기 무언가가 뇌리를 스쳤다.

"그래, 바로 그거야!"

비로소 그는 '소중한 선물'이 무엇인지 알 수 있었다. 그것은 늘 그곳에 있었던 것이다.

*이 책의 원제는 《The Present》이다. 이 말은 '선물'도 되고 '현재'도 된다.—옮긴이

세상에서 가장 소중한 선물은
과거도 아니고 미래도 아니다.

세상에서 가장 소중한 선물은
바로 현재의 순간이다.

세상에서 가장 소중한 선물은
바로 지금이다!

그의 입가에 미소가 떠올랐다. 바로 그것이었어! 그는 심호흡을 한 뒤 마음을 가다듬었다. 찬찬히 주위를 둘러보며 오두막 안을 새로운 방식으로 감상했다.

그런 뒤에 밖으로 나갔다. 밤하늘을 배경으로 나무들의 실루엣이 어른거렸다. 멀리 있는 산봉우리들은 흰눈으로 덮여 있었다. 달이 뜨자 호수에 그림자가 길게 드리워졌고, 새들은 한밤중에도 지저귀고 있었다.

이제 그는 전에는 알지 못했던, 하지만 늘 그곳에 있었던 수많은 것들을 알게 되었다. 오랫동안 그 많은 것들을 잊고 있었다.

예전의 어느 때보다 더 평화롭고 행복한 기분이 느껴졌다. 이제는 실패자라는 생각이 들지 않았다. '소중한 선물'을 생각하면 할수록 점점 더 의미 있다는 생각이 들었다.

> '현재' 속에서 존재한다는 것은 바로 지금 일어나고 있는 것에 집중한다는 뜻이다! 그것은 우리가 매일같이 받는 소중한 선물에 감사한다는 뜻이기도 하다.

그는 현재 속에서 존재할 때 더 많은 것을 느끼고, 무엇이든 자신이 하는 것에 더 집중할 수 있다는 것을 깨달았다. 비로소 멋진 벽난로를 만든 벽돌공 예술가의 기분이 어땠는지 온몸으로 느낄 수 있었다. 자신의 어릴 적부터 노인이 무엇을 말하려고 애썼는지 알 수 있었다. 우리는 현재 속에서 존재할 때 행복과 성공의 기분을 만끽할 수 있다.

다음날 아침, 그는 새로운 기분으로 잠에서 깨어났다. 빨리 산을 내려가 자신이 발견한 것을 노인에게 알리고 싶었다.

새로운 하루를 준비하기 위해 옷을 입으면서 예전과 달리 활력이 샘솟는 것을 느꼈다. 놀라운 변화였다.

전날 밤 자신이 어땠는지 기억을 되살렸다. 그는 자신이 있는 곳에, 그리고 자신의 현재에 집중했을 때 새로운 깨달음을 얻었다. 오로지 현재 속에서 존재할 때, 그러면서 다른 어느 것도 생각하지 않을 때 새로운 것을 발견할 수 있었다.

산에 와서 사색의 시간을 가졌던 것이 정말 기뻤다. 그 시간은 자신이 스스로 일어서는 데 도움이 되었다.

그는 다시 한 번 '바로 지금', '현재' 속에서 살아야 한다고 다짐했다. 다시 호흡을 가다듬은 후에 또 한 번 마음의 평화를 즐겼다.

> 그것이 이렇게도 간단하고, 이렇게도 빨리 효과를 나타내다니 정말 놀랍구나.

그러다가 얼굴을 찡그리며 스스로에게 물었다.

'그 선물이 정말로 이렇게 간단한 걸까?'

인생은 그렇게 간단한 것이 아니다. 삶은 복잡한 것이고, 직장에서도 여러 가지 복잡한 상황이 벌어진다.

'단지 현재 속에서 산다고 해서 행복과 성공을 느끼는 걸까?'

물론 그럴 때 인생이 더 행복한 것만은 틀림없었다.

그러나 산을 내려가려고 할 즈음, 다시 의심이 들기 시작했다. 내가 처한 상황이 이 멋진 오두막집에 있을 때처럼 즐겁지 않을 때도 '현재'라는 선물은 과연 효과가 있을까? 상황이 좋을 때와 나쁠 때는 판이하게 달라지지 않을까?

그리고 과거와 미래는 또 어떤 의미를 갖는 것일까? 다시 노인을 찾아가면서 그는 노인에게 물어봐야 할 게 너무나도 많다는 것을 새삼 깨달았다.

현재

바로 지금 이 순간을 살아라

노인은 얼굴 한가득 미소를 지은 채 깨달음을 얻은 표정으로 자신을 찾은 청년을 보자 큰소리로 외쳤다.

"자네 표정을 보니 마침내 그 선물을 찾은 것 같구먼!"

"그렇습니다!"

노인은 환하게 미소를 지었다. 젊은이 스스로 길을 찾게 되리라고 철석같이 믿었던 그였다. 두 사람은 함께 즐거운 시간을 보냈다.

"어떻게 깨달음을 얻었는지 한번 얘기해보게."

"왠지 행복했습니다. 저도 모르게 과거에 일어난 일들을 생각하지 않고 있더라고요. 또 앞으로 일어날 일들도 전혀 염려하지 않고요. 그러자 갑자기 깨달음이 찾아왔습니다. 우리가 스스로 찾아야 하는 선물은 바로 그것이었습니다. 현재의 순간 말예요. 이제야 비로소 현재 속에 존재한다는 것이 바로 지금 일어나는 일에 집중하는 것임을 확실히 알겠습니다."

"그래, 두 가지 측면에서 진실일세."

하지만 젊은이는 노인의 말에 귀를 기울이지 않았다. 그는 자신의 말만 계속했다.

"그 선물을 찾았을 때 저는 좋은 상황이었습니다. 그때는 친구의 별장에 있었으니까요."

그는 잠시 주저하면서 노인에게 물었다.

"상황이 나쁠 때에도 그 선물이 도움이 될까요?"

노인은 대답 대신 질문을 던졌다.

"자네가 그 선물을 찾은 순간 무엇이 옳고 그른지 생각해봤나?"

"아뇨. 전 경치 좋은 곳에서 조용한 시간을 즐겼을 뿐이었는 걸요."

그러자 노인은 "이걸 생각해보게" 하고 말했다.

아무리 어려운 상황에
처해 있어도

현재 이 순간
'옳은' 것에만 집중하면
우리는 더 행복할 수 있다.

그렇게 하면
활력과 자신감을 얻어
그른 것도 처리할 수 있다.

노인의 말을 듣고 그는 매우 놀랐다.

"그럼 현재 속에서 존재한다는 게 바로 지금(right now) 일어나는 것에 집중한다는 뜻인가요? 그리고 지금(now) 옳은(right) 것에 집중한다는 뜻이겠군요."

"그렇다네."

젊은이는 잠시 생각에 잠겼다.

"정말로 그런 것 같습니다. 저는 상황이 나쁠 때 그른 일에 집중하는 경향이 있었죠. 그래서 종종 낙심하고 절망했고요."

"다른 사람들도 대체로 그렇지. 현실 속에서 일어나는 상황은 좋은 것과 나쁜 것, 옳은 것과 그른 것이 한데 어울려 나타나는 걸세. 문제는 우리가 그걸 어떻게 보는가 하는 거지. 자꾸 나쁜 쪽으로 생각하면 더욱더 기운이 빠지고 자신감이 줄어들지 않겠나. 그래서 '나쁜' 상황 때문에 힘이 들더라도 무엇이 '옳은' 지 반드시 생각해야 하는 걸세. 그러면 그걸 토대로 기운을 내서 행동에 옮길 수 있네.

지금 이 순간에 옳은 것을 따를수록 나중에 더 행복해진

다네. 마음도 더 평안해질 뿐만 아니라, 그럴 때라야만 우리가 현재 속에서 존재하는 게 더 쉬워지지 않겠나."

"그 현재가 아주 고통스럽다면요, 예를 들어 사랑하는 사람을 잃었다면 어떻게 해야 하죠?"

"고통이란 현재 상태와 우리가 바라는 상태의 차이일 따름일세. 다른 모든 것들처럼 현재의 고통 역시 계속해서 변하지. 그저 왔다가 갈 뿐이야. 완전히 현재 속에 사는데도 고통을 느끼고, 그리고 그 때문에 좌절한다면, 그때는 무엇이 옳은지부터 생각해보고 그에 따라 행동하면 될걸세."

젊은이는 노인이 들려주는 소중한 교훈을 기억하기 위해 메모를 시작했다.

"갑자기 지금까지 깨달은 게 빙산의 일각처럼 느껴지는데요. 훨씬 더 많은 게 숨겨져 있는 느낌입니다."

"앞으로도 발견해야 할 게 더 많다는 걸 이제야 알았기 때문이네. 이제 자네는 그 소중한 선물을 찾았고, 그리고 더 많은 것을 알고 싶어하니 내가 알고 있는 것을 기꺼이 들려주겠네."

그가 고맙다는 인사를 하자 노인은 계속 이야기를 이어갔다.

"중요한 건 고통스런 상황을 겪을 때 그걸 피하려고 자꾸 다른 생각을 하지 말고 그 고통에서 배움을 얻도록 노력하는 것이라네."

현재 속에 존재한다는 것은
잡념을 없앤다는 뜻이다.

그것은 바로 지금 중요한 것에
관심을 쏟는다는 뜻이다.

우리가 무엇에 관심을 쏟는가에 따라
소중한 선물을 받을 수도 있고
받지 못할 수도 있다.

"힘든 상황일지라도 잡념을 없애고 현재 속에서 살아야 한다는 말씀이군요."

"이미 자네 스스로 겪지 않았는가. 자넨 직장에서, 사생활에서도 어려움을 겪고 있다고 하지 않았나. 자네 스스로 자문자답해볼 필요가 있네. '직장에서 잡념에 사로잡혀 있지는 않는가? 아니면 바로 그때 중요한 일에 관심을 쏟았는가?' 아울러 직장 밖의 생활도 생각해보게."

그러면서 노인은 또 다른 이야기를 덧붙였다.

"애인과 함께 있을 때 얼마나 현재 속에서 살았는가? 그녀가 진실로 자네와 함께 있을 때 온 정신을 집중할 만큼 자네에게도 역시 그녀가 소중한가? 인간관계에서는 상대방의 모든 것에 관심을 쏟아야 하네. 사람들의 '좋은' 점과 '나쁜' 점을 잘 알게 되면, 그들에게 실망하는 것이 아니라 장차 일어날 수 있는 문제들을 잘 다룰 수 있지.

자, 이제 다른 사람들이 어떻게 그 '소중한 선물'을 사용해서 행복하고 성공적으로 인생을 엮어가는지 자네가 직접 그런 예를 찾아보는 것도 의미가 클걸세."

"할아버지, 여길 떠나기 전에 과거와 미래에 대해 질문해도 되나요?"

"그건 나중에 얘기하지. 우선 지금은 현재만을 생각해 보세. 현재 속에 살면서 바로 이 순간 중요한 것에만 집중할 때, 아주 멋진 것들을 많이 발견하게 될 테니까."

그 자리를 떠나기 앞서 그는 현재 속에 사는 것에 대해 그때까지 배운 것을 다음과 같이 메모했다.

바로 지금 일어나고 있는 것에 집중하라.
바로 지금 올바른 것이 무엇인지 생각하고 그에 따라 행동하라.
바로 지금 중요한 것에 관심을 쏟아라.

노인에게 인사드린 후, 그는 그 동안 배운 내용을 직장에서 적용해보겠다고 말했다. 그는 이것이 현재 상황에서 좋은 것과 나쁜 것을 모두 파악한 다음 장애요소들을 극복하고 성공으로 가는 길임을 깨달았다.

다음주, 직장에서 그는 노인과 이야기하면서 적어둔 메모들을 검토했다. 그런 다음 자리에 앉아 한동안 머릿속에서 맴돌기만 하면서 손에 잡히지 않던 업무를 다시 시작했다. 필요한 정보를 모으기 어렵겠다는 지레짐작으로 계속 미뤄둔 일이었다. 그는 그 동안 배운 것을 활용해보기로 다짐했다.

그는 잠시 현재에 집중해보았다. 호흡을 가다듬고, 주위를 둘러보고, 바로 지금 무엇이 중요한지 찬찬히 생각했다.

비록 승진하지는 못했지만 여전히 자신에겐 직장이 있었다. 그는 여전히 좋은 업무 환경 속에서 나름대로 차분하게, 그리고 잘 정비된 조직 속에서 일하고 있었다. 게다가 나중에 자신의 능력을 인정받을 수 있는 업무가 아직도 무척 많았다. 바로 지금, 이 좋은 조건들을 즐기지 못할 이유가 무엇이람.

이윽고 그는 바로 지금 중요한 것에 정신을 집중했다. 우선 이 일 하나를 시작으로 업무를 진전시킨 다음 그것을 통해 활력과 자신감을 얻어야 다음번 업무에서도 성공한다는 것을 절실히 느꼈다.

그래서 문제점들을 하나씩 해결해 나갔다. 도중에 두어 번 정도 난관을 만났지만, 잡념에 빠지지 않았고, 다른 일로 슬쩍 회피하지도 않은 채 현재에만 집중했다. 바로 지금 해야 하는 일에만 몰두하면서 계속 나아간 것이다.

놀랍게도 그는 두 시간 만에 업무를 마쳤다. 비록 작은 성과였지만, 그 일을 끝냈다는 데 자부심을 느꼈다. 아주 깔끔하게 일을 처리한 것이다.

"직장에서 이렇게 좋은 기분을 느껴본 게 참 오랜만이구나. 현재 속에서 산다는 건 정말 좋은 거로구나."

그 뒤로도 몇 주간 그는 계속 업무에 정열적으로 집중했다. 주위 사람들에게서는 좀처럼 보기 힘든 열정과 집중력이었다.

이 소중한 선물을 깨닫기 전까지는 회의 시간에 몽상에 잠기거나 승진하는 꿈만을 꾸워온 그였다. 하지만 이제는 현재 속에서 존재할 때 일처리도 잘된다는 것을 확실히 알았다.

다른 사람들이 얘기할 때면, 자신의 생각을 잠시 접어두고 그들의 말에 귀를 기울였다. 오로지 현재에 집중하면서 그들과 함께 어울렸고, 자신도 나름대로 새로운 아이디어를 제공했다.

그러자 곧 고객과 동료들이 그에게 일어난 변화를 감지하기 시작했다. 전에는 잡념에 빠지기 일쑤던 그가 이제는 진심으로 그들의 요구에 관심을 보이고, 성의를 다해 그들과 조직에 도움을 주고 있지 않는가.

사생활에서는 친구들을 대하는 태도에 변화가 나타났다. 예전에 노인이 그랬듯이 그는 더 세심하게 친구들의 말에 귀를 기울였다.

처음 이렇게 태도를 바꾸려 할 때는 의식적으로 애써 노력해야만 과거에 대한 후회나 미래에 대한 불안에서 벗어나 현재에 집중할 수 있었다. 하지만 어느 정도 시간이 지나자 현재 속에서 사는 것을 연습하면 할수록 점점 더 쉬워졌다.

이렇게 외부로 드러나는 태도가 달라지자 직장 생활과 인생도 좋아지기 시작했다. 전보다 한층 높아진 열정과 헌신적인 태도는 상사의 관심을 끌었고, 친구들도 그에게 더 큰 관심을 보였다.

이제 그는 일을 더 잘할 때 승진 가능성도 더 높아진다는 점을 알았고, 또 그래야만 보상을 받을 자격이 있다고 생각했다. 늘 마음속에 담아둔 것은 아니지만 상사에 대한 적개심도 눈 녹듯 사라졌다.

그보다 더 중요한 것은 아름다운 여성을 만나 좋은 관계를 맺기 시작했다는 사실이었다. 시간이 지날수록 모든 것이 더 좋아졌다. 인생이 더 즐겁고 더 편안해지는 기분이 들었다. 자신감도 높아졌으며, 건강과 업무상 성과도 훨씬 좋아졌다.

그는 자신이 갖고 있는 것에 감사하면서 중요한 일에 관심을 집중하며 그 모든 것을 즐겼다. 과연 노인이 '세상에서 가장 소중한 선물' 이라고 할 만했다.

그런데 이제 비로소 현재를 사는 법을 알았다고 생각했을 때, 문제가 발생했다. 상사가 지시한 업무를 동료와 함께 처리할 때였다. 그 동료는 거의 노력도 하지 않고, 의견도 제시하지 않았다. 그 역시 동료에게 일을 분담해서 최선을 다하자고 말하지 않았고, 딱히 상사에게 보고할 필요를 느끼지 않았기에 그 일을 혼자서 도맡았다. 결과는 뻔했다. 얼마 가지 않아 뒤로 처졌고, 결국 마감시한을 넘기고 말았다.

매우 중요한 업무였는지라 상사는 실망감을 드러냈다. 그는 이제 실패했다고 생각했다. 그 때문에 '소중한 선물'에서 새로 얻은 자신감까지 잃었다.

무엇이 잘못된 걸까? 그는 분명 자신이 현재에 완전히 몰두했다고 생각했다. 그는 좌절감 때문에 풀이 죽은 채 고개를 숙이고 책상만 바라보았다. 이제 완전히 지쳐 있었다. 문득, 과연 노인이라면 이 상황에서 어떻게 했을지 궁금해졌다. 가슴속에 의문을 품은 채 그는 다시 노인을 찾아갔다.

노인은 젊은이를 따뜻하게 맞이했다.

"자넬 기다리고 있었네."

젊은이가 먼저 말을 꺼냈다.

"현재 속에서 살면 무엇을 하건 행복하고 성공할 거라고 하셨죠? 저는 현재에 살기 위해 애를 썼고, 실제로 좋은 결과가 나타나는 것 같았습니다. 하지만 그것만으로는 충분하지 않은 것 같아요."

"무슨 말인지 이해하네. 현재를 완전히 껴안으려면, 단순히 현재 속에 사는 것보다 더 많은 것을 해야 하지. 하지만 나는 자네 스스로 그 사실을 발견할 때까지 기다린 걸세."

노인은 문제점을 이야기하라고 한 다음 이렇게 말했다.

"문제를 해결하지 않고 자네 혼자서 그 모든 일을 떠맡은 거구먼. 전에도 이와 비슷한 경험을 한 적이 있다고 하지 않았나?"

"그렇습니다. 저는 늘 사람들과 맞서는 것을 싫어했습니다. 직장 상사는 바로 그 점이 관리자로서 제 결점이라고 지적하더군요."

그러면서 그는 계속 문제점을 털어놓았다.

"비단 직장에서만 그런 것도 아니고요. 전에 사귀던 여자 친구도 내가 우리의 문제점을 무시한다고 그런 적이 있어요. 그게 우리가 헤어진 이유 가운데 하나죠. 또 가끔은 제가 승진하지 못한 것을 곱씹기도 합니다. 왜 그 일을 못 잊는 건지 알 수가 없어요."

"아마 이 말이 도움이 될 게다."

과거에서 배움을 얻지 못하면
과거를 보내기는 쉽지 않다.

배움을 얻고 과거를 보내는 순간
우리의 현재는 더 나아진다.

"마음에 드네요. 좋은 말인 것 같습니다."

그러면서 노인에게 물었다.

"어떻게 이렇게 아시는 게 많죠?"

노인은 큰소리로 껄껄 웃었다.

"난 오랫동안 흥미로운 조직에서 일했지. 사람들이 일과 인생에 대해 얘기하는 것을 귀담아들었어. 어떤 사람들은 힘든 시간을 보내고 있었고, 어떤 사람들은 좋은 시간을 보내고 있었지. 하지만 모두에게는 공통된 특징이 있는 걸 발견했다네."

"어려움을 겪는 사람들은 어떻던가요?"

그 물음에 노인은 젊은이가 얼마나 괴로운 시간을 보내고 있는지 알아챘다.

"이런, 자넨 좋은 시간을 보내던 사람들이 어땠는지부터 묻지 않는군."

"이크!"

"당연히 '이크' 겠지. 이제 왜 그랬는지 알겠나? 내가 보기에 자네는 무척 힘든 시간을 보내고 있구먼. 그렇다면 그 부분부터 시작하는 것이 좋을 것 같군. 어려움을 겪고 있는 사람들은 대개 과거의 실수나 미래에 저지를 수 있는 실수를 걱정하지. 어떤 사람들은 직장에서 일어난 과거 일을 놓고 화내기도 하고."

"그 기분 알 거 같아요."

"반면에 좋은 시간을 보내는 사람들은 현재 하고 있는 일에 집중하지. 그들 역시 다른 사람들처럼 실수를 했지만, 그것에서 배움을 얻고 앞으로 나아갔지. 그들은 또 잘못된 것을 두고 장황하게 얘기하지 않았어. 그런 점에 비추어볼 때, 자네는 과거를 돌아보고 배움을 얻는 게 아니라, 그냥 그걸 무시하고 있어."

노인의 말은 계속 이어졌다.

"대부분의 사람들은 과거를 돌아보지 않으려 하지. 예전 실수 때문에 다시 마음을 다치고 싶지 않기 때문이야. 그들은 이런 식으로 얘기하네. '과거의 잘못 때문에 오늘날 이 꼴이 되었다' 고. 하지만 과거의 잘못을 돌아보고 배움을 얻었다면 지금의 내 모습이 어떨까, 스스로 묻지 않거든. 그래서 그들은 아무것도 배우지 못하는 걸세."

"저처럼 그들도 같은 실수를 되풀이하는군요. 그리고 그들의 과거는 다시 현재가 되는군요."

"바로 그거야. 과거의 잘못과 경험에서 배움을 얻지 못하면 현재의 즐거움을 잃게 돼. 하지만 과거의 잘못에서 정말로 배우는 것이 있으면 현재의 즐거움은 배가 되지. 물론 과거 속에서 살면 안 돼. 그러면 현재를 제대로 살 수가 없으니까. 하지만 우리는 과거의 잘못에서 진정으로 배움을 얻어야 하네. 또 과거에 잘한 게 있다면, 그 이유를 알아보고 그 또한 성공의 발판으로 삼아야 하겠지."

젊은이는 다소 혼란스러웠다.

"언제 현재에 있어야 하고, 언제 과거에서 배워야 하나요?"

"좋은 질문이군, 아마 이 말이 도움이 될 거야."

현재를 살면서
불행하다거나 성공적이지 않다고
느낄 때는 언제든

바로 그때 우리는
과거에서 배우거나
미래를 계획해야 한다.

"현재의 즐거움을 앗아가는 건 두 가지뿐이야. 과거에 대한 부정적인 생각과 미래에 대한 부정적인 생각이지. 먼저, 과거에 대한 생각부터 살펴보는 게 좋겠군. 미래에 대해서는 나중에 다시 얘기함세."

"언제가 됐든 제가 현재를 즐기고 일을 잘하려는 데 무언가가 방해할 때, 그때가 바로 과거를 돌아보고 배움을 얻어야 할 때인가요?"

"그렇지. 바로 그때가 배움을 얻어야 할 때야. 그때가 언제든 과거보다 더 나은 현재를 살고 싶은 그때 배움을 얻어야지. 즉 좌절감을 느끼거나, 과거에 대한 부정적인 생각 때문에 현재가 방해받을 때, 그때 우리는 시간을 갖고 과거를 돌아보면서 배워야 하는 걸세."

다시 젊은이가 물었다.

"왜 하필 부정적인 생각을 할 때가 배움을 얻어야 하는 땐가요?"

"왜냐하면 그럴 때일수록 부정적인 생각이 우리에게 교훈을 주기 때문이지."

"그렇다면 무엇을 배워야 합니까?"

"내가 볼 때 가장 좋은 방법은 스스로 다음의 3가지 질문을 해보고, 가능한 한 정직하고 현실적인 자세로 답을 얻는 걸세."

과거에 어떤 일이 일어났는가?
나는 그것에서 무엇을 배웠는가?
이제 나는 무엇을 다르게 할 수 있는가?

"과거의 잘못을 돌아보고, 이제는 어떻게 다르게 할 수 있는지 생각하라는 말인가요?"

"그렇다네. 하지만 자신에게 너무 가혹할 필요는 없어. 과거의 잘못은 그때만 해도 우리가 아는 최선의 길이었으니까. 다만 이제는 그때보다 더 잘 알고, 또 그래서 더 잘 할 수 있는 게야."

"다시 말하면, 똑같은 식으로 행동하면 똑같은 결과를 얻는다. 그러나 다르게 행동하면 다른 결과를 얻는다 그런 말씀인가요?"

"그렇지. 다행스럽게도 우리는 과거에서 더 많이 배울수록 후회를 덜 하게 돼. 그리고 현재의 시간은 더 많아지게 되지."

과거에 어떤 일이 일어났는지
돌아보라.

과거에서 소중한 교훈을
배워라.

그리고 배움을 통해
더 나은 현재를 만들어라.

과거를 바꿀 수는 없다.
하지만 과거에서 배울 수는 있다.

다시 똑같은 상황이 벌어지면
우리는 다르게 행동할 수 있고
더 즐겁게 현재를 살 수 있다.

다음날 아침 출근하면서 그는 노인이 했던 말을 깊이 생각했다. 그날 그는 현재의 순간에 완전히 몰입하기 위해 애를 썼고, 과거에서 배울 수 있는 기회들을 찾으려 했다.

지난번과 마찬가지로 직장 동료는 이번에도 자신이 맡은 역할을 하지 않으려 했다. 그는 결국 자신의 생각을 털어놓았고, 그러자 동료는 처음에는 적개심을 보이며 반박했다. 하지만 대화가 끝날 무렵 그녀는 솔직하게 얘기해준 것을 고마워했다. 이제 자신의 업무를 제대로 처리해야 할 필요성을 충분히 인식한 것 같았다. 거기서 더 나아가 그녀는 이런 계기가 마련되기를 내심 기대했다고까지 말했다.

그 역시 과거의 경험에서 배움을 얻은 것에, 그리고 이번에는 예전과 다르게 행동한 것에 희열을 느꼈다. 그 후의 몇 주일 동안 그는 그 동안 배운 내용을 적절히 응용하면서 점점 더 효율적으로 업무를 처리해 나갔다. 다른 동료와의 인간적 유대 관계도 훨씬 더 좋아졌다. 그 결과, 직장 상사는 더 많은 일을 맡겼고, 그는 마침내 원하던 승진을 했다.

한편, 사생활에서는 새 여자 친구와 함께 보내는 시간이 점점 길어지더니 마침내 아주 중요한 단계로 발전했다. 그렇게 한동안 그에게는 좋은 시간이 이어졌다.

하지만 더 높은 자리로 올라가는 것과 비례해 더 많은 업무를 처리해야 하는 부담감도 함께 늘어났다. 이 때문에 엄청난 업무를 제대로 처리하기란 쉽지 않았다. 그래도 종종 호흡을 가다듬고 현재의 순간에 집중하는 버릇은 여전히 업무 처리에 큰 도움이 되었다.

하지만 매일 아침 회사에 나올 때마다 더 많은 업무가 기다리는 현실은 사라지지 않았다. 그는 아직 일정표 짜는 법을 배우지 못했으므로, 우선 순위를 정하는 데 어려움을 겪었다. 동시에 여러 가지 업무를 황급히 다루면서 중요하지 않은 일에 너무 많은 시간을 소비한 반면, 중요한 업무들은 잘 진척되지 않았다.

얼마 안 가서 몇몇 업무는 통제할 수 없는 지경이 되어

버렸다. 상사는 그 점을 지적했고 그는 일이 너무 많다고 하소연을 늘어놓았다. 그러자 상사는 그를 승진시킨 것이 잘한 일이었는지 고개를 갸우뚱거렸다. 좌절감 속에서 무엇을 해야 할지 잘 몰랐던 그는 다시 오랜 친구인 노인을 찾아갔다.

계획

멋진 미래를 마음속으로 그려라

"어떻게 지내나?"

젊은이는 겸연쩍게 웃으면서 말했다.

"때로는 좋기도 하고, 때로는 나쁘기도 합니다."

그러면서 자신이 처한 어려움을 늘어놓았다.

"도저히 이해할 수 없어요. 저는 현재에 완전히 몰두했습니다. 제가 현재의 순간에 몰입해 그렇게 열심히 일하는 것에 사람들이 놀라워할 정도예요. 또 말씀하신 대로 과거에서 배움을 얻으려고 애썼고, 과거의 잘못들에 얽매이지도 않았고요. 그렇게 배운 것을 잘 활용해서 더 좋은 삶을 살고 있기는 합니다. 하지만 한꺼번에 모든 업무를 다 감당할 수는 없어요. 어쩌면 그 자리는 제게 너무 과분한 자리인지 모르겠습니다."

노인은 고개를 끄덕였다.

"지금은 그럴 수도 있지. 하지만 자네가 모르는 것이 하나 있어. 자네는 아직도 그 선물의 마지막 한 가지 측면을 발견하지 못했어. 자네가 말한 대로 과거에서 배우고 있고, 그런 배움을 활용해서 더 나은 현재를 살고 있지.

그리고 현재에 완전히 몰입해 살면서 주변 세상에 더 감사하고, 그 안에서 더 효과적으로 살고 있어. 따라서 큰 발전을 이룬 셈이야. 하지만 자네가 아직도 이해하지 못하는 건 그 선물의 세 번째 측면, 그러니까 미래의 중요성이라네."

"하지만 미래를 생각하면 불안해요. 내 집 마련이나 직장에서의 승진, 미래의 우리 가족을 생각하면 현재에만 만족하며 살 순 없어요. 그럴 때면 길을 잃고 헤매는 기분입니다."

"미래를 너무 앞서서 사는 건 현명한 일이 아닐세. 그게 지나치면 걱정과 불안에 빠지기 쉽지. 그러나 미래에 대한 '계획' 은 중요한 거야. 현재보다 더 나은 미래를 만드는

유일한 방법은 행운이 따르는 경우를 제외하곤 미래에 대한 철저한 계획뿐이지. 설사 운이 좋다고 해도 대체로 그건 금방 끝나고 말거든. 그러면 더 큰 문제들과 더 복잡한 상황에 빠질 수 있네. 결국 운에 의지하는 것은 올바른 자세가 아닌 게야.

미래 계획이 철저하면 걱정과 불안을 줄일 수 있지. 성공적인 미래를 향해 적극적으로 움직일 수 있기 때문일세. 또 앞으로 무엇을 할 것인지, 그리고 왜 그것을 하는지도 알게 돼."

젊은이가 궁금한 표정으로 물었다.

"미래 계획이 어떻게 현재를 사는 것과 관련이 있나요?"

"미래를 계획하고 나면 걱정과 불안이 줄어들어서 현재를 더 즐겁게 살 수 있지. 계획이 서 있으면 어리짐작으로 일하지 않아도 되거든. 이를테면 미래 계획은 지도와 같은 거야. 지도가 있으면 더 나은 미래를 위해 현재 무엇을 해야 할지 알 수 있고, 목표에 훨씬 더 잘 집중할 수 있다네."

“미래 계획을 세움으로써 현재에 더 몰입할 수 있다는 말씀이군요.”

“맞아, 이렇게 생각하고 싶을지도 모르겠군.”

누구도 미래를 통제하거나
예측할 수는 없다.

그러나 앞으로 원하는 것에
더 많은 계획을 세울수록

현재의
걱정과 불안이 줄어든다.

그리고 미래를
더 잘 알 수 있다.

노인은 계속 말을 이어갔다.

"직장에서도 그렇고 인생살이에서도 그렇지만, 꿈이나 목표를 제대로 이루지 못하는 가장 큰 이유는 계획이 부족하기 때문일세."

"그렇다면 언제 미래에 대한 계획을 세워야 하나요?"

"현재보다 더 나은 미래를 원할 때지."

"미래 계획을 세우기 가장 좋은 방법은요?"

"다음의 세 가지 질문에 답하는 거야."

우리가 원하는 멋진 미래의 모습은 무엇인가?
그것을 달성하기 위한 우리의 계획은 무엇인가?
그렇게 하기 위해 오늘 우리가 해야 할 일은 무엇인가?

"자신이 원하는 미래의 모습을 보다 현실적으로 그릴 수 있고, 그게 달성 가능하다고 더 굳게 믿을수록 계획을 더 쉽게 세울 수 있네. 그리고 일단 계획을 세운 뒤에는 경험과 정보가 늘어감에 따라 계속 수정할 필요가 있고. 그래야만 보다 현실성 있는 계획이 되겠지. 중요한 것은, 설사 그게 아무리 작은 일이라 해도 매일같이 무언가를 '하는' 거야. 그래야만 멋진 미래가 현실로 바뀔 수 있다네."

멋진 미래의 모습은 어떠한지
그림을 그려라.

현실적인 계획을 세워
그것을 달성할 수 있게 하라.

계획을 지금 이 순간
행동으로 옮겨라.

젊은이의 눈이 반짝 빛났다.

"정말 그런 것 같네요. 직장에서 계획을 세우거나 목표를 정하지 않을 때, 혹은 미래 문제만 너무 앞서 걱정할 땐 길을 잃곤 합니다. 그다지 중요하지 않은 일에 시간을 허비하면서도 정말로 관심을 쏟아야 할 중요한 일에는 정작 시간을 내지 못하는 경우가 많았습니다. 이제는 왜 제가 그렇게 주눅들었는지 알 수 있을 것 같아요. 계획을 세운 후에 그것을 행동으로 옮기지 않은 탓이죠."

"내가 얘기한 '현재'의 그 세 부분을 카메라의 삼각 지지대로 생각하면 딱 알맞겠군. 삼각대는 다리가 셋일 때 완벽한 균형을 이루지 않는가. 현재 속에서 살기, 과거에서 배우기, 그리고 미래를 계획하기야. 다리를 하나만 빼도 삼각대는 쓰러지지. 셋 모두가 있어야 돼. 그런 점에서 우리의 인생도 마찬가질세. 현재와 과거, 그리고 미래로 이루어진 삼각 지지대 위에서 삶과 일이 균형을 이루도록 만들어야만 훨씬 더 즐겁게 살 수 있는 걸세."

노인의 말을 깊이 새기면서 젊은이는 더 큰 활력과 방향 감각을 얻어 다시 직장으로 돌아갔다.

매일 아침 그는 미리 하루의 계획을 세웠다. 그럼 목표 달성도 훨씬 쉬웠고 탄력성이 생겨서 갑작스런 일에도 적절히 대응할 수 있었다. 이를 토대로 주 단위, 월 단위계획까지 세웠다. 회의가 있을 때면, 미리 무슨 말을 어떻게 해야 할지 준비하고 검토했다. 마감시한을 통보받으면 미리 시간표를 짜고 개별적인 업무들에 시간을 할당했다. 개인적인 생활도 역시 같은 식으로 계획을 세워 실천했다. 특히 중요한 일은 달력에 적어놓고 그에 맞게 계획을 세웠다.

친구들을 만날 때면 여유 시간을 두고 약속 장소로 나갔다. 집에서나 직장에서나 그는 더 이상 마지막 순간까지 기다리지 않았다.

미래 계획을 세우고 그것을 통해 현재를 더 효과적으로 살면서 더 많은 업적을 달성하며 다른 사람들을 자극하였다. 그 어느 때보다 더 행복감을 느꼈고, 자신의 삶을 훨씬 더 잘 통제했다.

그렇게 시간이 흘렀다. 직장 상사는 그의 능력 향상을 높이 사 다시 승진시켰다. 더 중요한 것은 마침내 여자 친구와 약혼을 했고, 평생의 동반자로서 자신들의 미래를 함께 설계하기에 이르렀다는 사실이다.

그는 이제 매일 출근길에 늘 현재 속에서 살고, 과거에서 배움을 얻고, 미래에 대한 계획을 세웠다. 결과는 아주 흡족할 만한 것이었다. 일도 잘했고, 동료의 존경도 받았고, 무엇이든 할 수 있다는 자신감까지 얻었다.

그러던 어느 날, 예산 관련 회의가 열렸다. 그는 매출실적이 떨어지고 있음을 알고 있었다. 경기가 나쁜 탓도 있었지만, 경쟁업체에서 더 좋은 제품을 더 싸게 판매하는 것이 더 큰 원인이었다. 그래서 자금부 직원이 획기적인 비용 삭감을 제안했을 때 놀라지 않았다. 그 안건은 수많은 직원들이 회사를 떠나거나 중요한 자원들을 포기해야 한다는 뜻이었다.

그는 회의 시간에 현재 일어나고 있는 사안에 정신을 집중했다. 참석자 중 누군가가 주거래 은행에서 적어도 1년 동안 연구개발 비용을 줄일 것을 권고했다고 전했다. 그러면 예산 삭감이 쉬워질 것이다. 참석자 대다수도 그 제안에 찬성하는 발언을 했다. 그 순간 한 여직원이 자리에서 일어나 그건 문제의 본질이 아니라고 강력히 주장했다. 그 역시 그녀의 생각과 같았다.

이번에는 그가 나섰다.

"문제의 본질은 우리 제품이 경쟁업체 제품에 밀린다는 겁니다. 지금 연구개발비를 줄이면 당장 예산을 절감할 수는 있겠지만, 그것은 결코 올바른 해결책이 아니라고 생각합니다. 우리가 미래에 대한 투자를 하지 않고 신제품 개발을 소홀히 하면, 몇 년 후에 회사는 도산할 위기를 맞을 수도 있습니다."

그의 발언은 뜨거운 논란을 불러일으켰다. 며칠 후 그는 상사의 지원 아래 고객들이 원하는 신제품의 특성을 보고서로 작성했다. 과연 어떤 것이 좋은 신제품인지 구상하는 과정에서 그는 회사의 비전을 그려 나갔다.

그렇게 몇 달이 지나자 몇몇 직원이 고객들이 원하는 신제품 개발에 필요한 행동을 취해주었다. 그 모두가 고객의 요구에 부응하는 것은 아니었지만, 그 중 하나가 큰 성공을 거두어 회사는 다시 번창했다. 이 일을 계기로 미래계획이 왜 중요한지 다시 절감한 것이 그는 너무나도 다행스러웠다. 그 결과는 그 자신과 회사 모두에 큰 도움이 되었다.

그렇게 몇 년이 흘러 그는 어느새 중년이 되었다. 그때까지도 그는 노인과의 만남을 계속 이어갔다. 노인은 그가 계속 발전하면서 행복해지고 성공을 이루어가는 것을 지켜보며 기뻐했다.

그러던 어느 날, 피할 수 없는 일이 일어났다. 노인이 죽음을 맞은 것이다. 이제는 더 이상 그의 현명한 지혜를 들을 수 없게 되었다. 중년이 된 그는 당혹감에 빠졌다. 도대체 어떻게 대응해야 할지 갈피를 잡을 수가 없었다.

장례식에는 그 도시의 유지는 물론, 노인이 후원했던 여러 단체의 아이들까지 참석해 장사진을 이루었다. 수많은 사람들이 자리에서 일어나 노인을 추모하고, 그분의 은덕을 칭송했다. 노인은 엄청나게 많은 사람들에게 도움을 준 것 같았다.

자리에 앉아 고인을 기리는 찬사를 경청하면서 중년이 된 그는 고인의 인생이 다른 사람들보다 비범했음을 깨달았다. 그분은 수많은 사람들의 인생에 정말 큰 영향을 끼쳤던 거다.

중년이 된 그는 이렇게 자문해보았다.

"어떻게 해야 그분 같은 사람이 되고, 많은 사람들을 도울 수 있을까?"

해답을 얻기 위해 그는 어렸을 때 즐거운 시간을 보냈던 그 동네를 다시 찾았다. 이미 여러 해 전에 그의 부모는 다른 곳으로 이사했기 때문에 그가 이 마을에 찾을 때는 오로지 그분을 만나기 위해서였다.

노인의 집은 이제 비어 있었다. 정원에는 '주택 매매' 라고 써붙인 팻말이 꽂혀 있었다. 그는 노인이 즐겁게 저녁 시간을 보내던 그네 쪽을 바라보았다.

그는 천천히 그네로 다가가서는 낡은 사슬이 끊어지지 않도록 살짝 걸터앉았다. 주위는 고요해서 그네 흔들리는 소리만 들렸다. 중년이 된 그는 노인에게서 배운 모든 것을 곰곰이 생각했다.

그는 이제 더욱더 확고하게 현재에 몰두해 살 수 있었고, 바로 지금 일어나는 일에 더욱 집중할 수 있었고, 지금 중요한 것에 더 큰 관심을 쏟을 수 있게 됐다. 그리고 그것은 인생을 훨씬 더 풍요롭게 만들었다. 뿐만 아니라 현재에 완전히 집중할 때마다 더 행복해졌고 일도 훨씬 더 잘

처리했다. 과거에서 얻은 배움으로 더 나은 현재를 살 수 있었다. 예전의 실수를 자꾸 반복하지도 않았다. 미래 계획이 종종 더 좋은 미래를 만든다는 점도 충분히 알고 있었다.

그런데도 무언가 빠진 듯한 허전한 느낌은 여전했다. 특히 더 이상 노인에게 의지할 수 없기 때문에 더욱 그러했다. 그는 조용히 눈을 감고 그네 위에서 부드럽게 몸을 흔들면서 오직 현재에만 집중했다. 그러자 마음이 평온해졌다.

노인이 자기 옆에 앉아 있는 것이 서서히 느껴졌다. 그분은 마치 그곳에 살아 있는 것만 같았다. 전에 나누었던 수많은 대화를 다시 들려주는 것 같았다. 그 소리를 통해 다시 한 번 노인이 들려주는 지혜의 목소리를 들을 수 있었고, 정감 넘치는 그분의 따뜻한 마음이 느껴졌다.

그는 왜 그분이 자신을 포함해 많은 사람들로 하여금 현재를 일깨우도록 돕는 일에 그렇게 열심이었는지 궁금해졌다. 그것말고도 그분에게는 할 일이 무척 많았는데 말이다. 그런데도 왜 자기 일에 더 많은 시간을 쏟지 않고, 그 '소중한 선물' 을 사람들과 나누는 데 그렇게 열심이었을까?

그는 여전히 그네에 몸을 맡긴 채 눈을 감고, 그 질문의 답을 얻는 데 몰두했다. 그러자 서서히 답이 나타났다.

그분의 행동은 분명 자기 이익을 넘어선 소명감(Purpose) 때문이었다. 그분의 소명은 — 그분이 아침에 자리에서 일어나는 이유는 — 사람들이 모두 행복해지고 성공을 달성하도록 돕는 것이었다.

사실, 그분이 한 모든 행동은 소명의식에서 비롯된 것이었다. 그것이 현재에 대해 가르치는 것이건, 회사를 경영하는 것이건, 혹은 가족과 함께 시간을 보내는 것이건, 그분은 늘 소명을 염두에 두고 행동했다. 그리고 바로 그와 같은 소명이 현재와 과거, 미래를 함께 묶어주었던 것이다. 바로 그것이 그분의 삶에 의미를 주는 것이기도 했다.

생각이 거기까지 미치자 눈이 번쩍 뜨였다. 바로 그것이었구나! 이것이 그 모든 것을 함께 묶는 연결고리였다. 중년이 된 젊은이는 수첩을 꺼내 이렇게 적었다.

현재에서 살기, 과거에서 배우기, 그리고 미래를 계획하기만으로는 충분치가 않다.
우리의 삶에 소명이 있을 때만 그 모든 것은 의미를 갖는다.

그는 적는 것을 멈추고 수첩에 적힌 낱말들을 뚫어져라 들여다보았다. 그러고는 그 낱말들이 무엇을 뜻하는지 생각해보았다.

소명의식을 가진 삶이란 단지 '무엇'을 해야 하는지를 아는 것이 아니라, 그것을 '왜' 해야 하는지까지도 알아야 하는 것임을 그는 비로소 이해했다. 소명의식을 가진 삶은 거창한 청사진이나 계획이 아니다. 그것은 일상을 살아가는 현실적인 자세다. 또한 매일 자리에서 일어나 우리 행동이 자신과 남들에게 어떤 의미를 갖는지 생각한다는 뜻이기도 하다. 그가 깨달은 것은 다음과 같은 내용이었다.

우리가 어떻게 행동하는가는
우리의 소명이 무엇인가에 따라 다르다.

행복해지고 성공하고 싶을 때
현재를 사는 법을 배워야 한다.

과거보다 나은 현재를 원할 때
과거에서 배움을 얻어야 한다.

현재보다 나은 미래를 원할 때
미래를 위한 계획을 세워야 한다.

우리가 소명을 갖고

일을 하고 살아갈 때

그리고 바로 지금 중요한 것에

집중하고 몰두할 때

우리는 더 잘 이끌고, 관리하고,

지원하고, 친구가 되고, 사랑할 수 있다.

그는 이제 친절하고 지혜로운 그분의 도움 없이 미래를 설계해야 한다는 점을 깨달았다. 그는 자신이 충분히 알게 된 것인지 궁금했다. 이윽고 미소가 떠올랐다. 그분이 이렇게 말하는 것을 들을 수 있었으므로.

자네는 충분히 많은 것을 알고 있고
충분히 많은 것을 갖고 있다네.
그리고 충분히 성장했어.
어떤 사람들은 젊었을 때 '소중한 선물' 을 받고
어떤 사람들은 중년이 되어 그것을 받지.
어떤 사람들은 노인이 되어서야 그것을 받는가 하면
어떤 사람들은 끝내 받지 못하고 만다네.

그네 위에 몸을 맡기고 있던 그는 다시 현재로 돌아가는 것을 선택했다. 이제 '소명' 을 찾았으니까. '앞으로 다른 사람들도 내가 배운 것을 발견하도록 도와야겠다.' 행복과 성취감이 느껴졌다.

성공이 무엇을 뜻하는지를 회고하면서, 그것이 사람들마다 다른 의미를 갖는다는 것도 비로소 이해했다. 성공이 의미하는 것은 보다 평화로운 삶, 더 나은 일자리, 가족이나 친구들과 보내는 더 좋은 시간, 직장에서의 승진, 육체적인 건강, 더 많은 돈, 혹은 그냥 남을 돕는 착한 사람이 되는 것일 수도 있다.

하지만 그는 그분이 가르쳤던 것을 기억하고, 스스로 경험을 통해 배운 것을 떠올리면서 다음과 같은 깨달음을 얻었다.

성공은 우리가 될 수 있는
사람이 되는 것이다.

그리고 고귀한 목표들을
향해 나아가는 것이다.

성공이 무엇을 의미하는지를
우리는 모두 스스로 정의한다.

그는 이제 누구든지 행복해지고 성공하게 만드는 도구의 사용법을 완벽히 배웠음을 확실히 느꼈다. 그것은 아주 간단했다. '소중한 선물' 은 과거에서 배운 교훈과 미래를 위한 계획된 목표의 도움을 받아 그의 삶을 풍요롭게 만들어주었다. 그리고 현재 경험하는 것들을 바탕으로 행동하면서 보다 성공적인 사람으로 변했다.

그는 바로 지금 중요한 것에 정신을 집중했다. 그는 살아가면서 직면하는 도전과 기회를 볼 수 있고 다룰 줄 알게 됐다. 또 동료와 가족, 그리고 친구들에게 감사하는 법을 배웠다.

나아가 그 자신도 인간에 불과하기 때문에 늘 현재 속에서 살지는 못함을 깨달았다. 그래서 때때로 현재를 놓치기도 했지만 대신 그런 일이 일어날 때면, 늘 다시 현재로 돌아가겠다고 스스로 다짐할 수 있었다.

'현재' 라는 '소중한 선물' 은 늘 그곳에 있을 것이다. 언제든지 원하기만 하면 그는 그 선물을 받을 수 있을 것이다. 그는 그 동안 배운 것을 요약해서 적기로 결심했다. 그것을 잘 보이는 곳에 붙여놓고 매일같이 되새길 참이다.

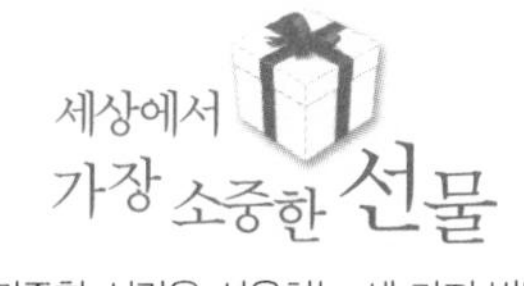

귀중한 시간을 사용하는 세 가지 방법

현재 속에 살기

행복과 성공을 원한다면
바로 지금 일어나는 것에 집중하라.
소명을 갖고 살면서
바로 지금 중요한 것에 관심을 쏟아라.

과거에서 배우기

과거보다 더 나은 현재를 원한다면
과거에 일어났던 일을 돌아보라.
그것에서 소중한 교훈을 배워라.
지금부터는 다르게 행동하라.

미래를 계획하기

현재보다 더 나은 미래를 원한다면
멋진 미래의 모습을 마음속으로 그려라.
그것이 실현되도록 계획을 세워라.
지금 계획을 행동으로 옮겨라.

그 후 여러 해 동안, 중년이 된 젊은이는 자신이 배운 것을 사용하고 또 사용했다. 상황에 따라 여러 가지 방식으로 적응하면서 그것을 점점 더 잘하게 되었다. 여러 차례 승진도 거듭했다. 그리하여 마침내 사장이 되었고, 주위 사람들에게 존경과 흠모의 대상이 되었다.

사람들은 그와 함께 있으면 생동감을 느꼈다. 그가 있으면 기분이 더 좋아지는 듯했다. 그는 어느 누구보다 세심하게 다른 사람의 말에 귀를 기울였고, 문제들을 이미 예상해 해결했으며, 누구보다 먼저 해결책을 제시했다.

사적인 생활에서도 그는 사랑이 넘치는 가정을 가꾸었다. 아내와 아이들은 그에게서 사랑을 받는 것만큼 사랑을 주었다. 여러 면에서 그는 자신이 흠모했던 그분을 닮아갔다. 그리고 자신이 발견한 '소중한 선물'을 기꺼이 다른 사람들과 나누었다. 많은 사람들이 그 이야기를 좋아했고, 배움을 얻어 즐거운 삶을 누렸다. 물론 그렇지 않은 사람들도 있었지만, 그것은 그들의 선택이었다.

어느 날 아침, 신입사원들이 그의 집무실에 모였다. 그는 늘 신입사원들을 직접 만나보곤 했다.

젊은 여직원이 '소중한 선물' 이라는 제목의 액자를 보고 말을 꺼냈다.

"왜 저걸 책상에 놓고 계신지 여쭤봐도 되나요?"

"그럼요. 저 액자의 내용은 어느 훌륭한 분에게서 들은 멋진 이야기를 요약한 겁니다. 우리가 어떻게 하면 행복해지고 성공적인 삶을 살 수 있는지에 관한 이야기죠. 나는 그 이야기에서 정말로 큰 도움을 받았답니다."

그의 말에 몇몇 직원이 궁금한 표정으로 액자를 바라보았다.

"제가 봐도 될까요?"

"물론이죠."

그는 여직원에게 액자를 건네주었다.

그녀는 천천히 그것을 읽고 나서, 다른 직원들에게 건넸다. 그리고는 이렇게 말했다.

"이건 제가 지금 다루고 있는 상황에 아주 큰 도움이 될 것 같습니다."

여직원은 다시 그 액자를 돌려주면서 물었다.

"그 이야기를 들려주실 수 있나요?"

신입사원들이 회의용 탁자에 둘러앉았고, 그는 '소중한 선물' 이야기를 시작했다. 그리고는 이야기를 마친 후, 서랍에 넣어두었던 같은 내용의 카드 몇 장을 건네주었다.

"내가 그랬던 것처럼 여러분도 큰 도움을 받았으면 좋겠습니다."

그 후 몇 달 동안 그는 일부 신입사원들이 '소중한 선물'을 받아들이는 상황을 목격했다. 그들은 회사에서 즐겁게 일했다. 카드의 내용을 의심하거나, 그냥 그것을 치워버린 이들도 있긴 했다.

어느 정도 시간이 흐른 뒤에 '소중한 선물'에 대해 물었던 여직원이 다시 사장실을 찾아왔다.

이제 그녀는 더 중요한 업무를 맡고 있었고, 자신이 하는 일에서 두각을 나타내는 것 같았다.

"그 선물 이야기를 들려주셔서 정말로 감사합니다. 저

는 시간이 날 때마다 그 카드를 보곤 하지요. 이제 너무나 도 소중하게 생각돼요."

그렇게 말한 후에 그녀는 사장실에서 나갔다. 시간이 지나면서 그녀는 '소중한 선물' 이야기를 가족과 친구, 그리고 직장 동료에게 들려주었다. 이야기를 들은 사람들 중 대다수가 즐겁게 일한 덕에 회사도 나날이 번창했다. 그 역시도 자신이 그분에게서 배운 것이 다시 후세에 도움이 되는 것을 보고 기뻐했다.

그로부터 몇십 년 후, 이제는 행복하고 존경받고 성공한 그도 노인이 되었다. 자식들도 성장해서 저마다 가정을 꾸렸다. 아내는 가장 친한 친구이자 인생의 동반자였다. 비록 현직에서 은퇴했지만 '소중한 선물'은 여전히 그에게 활력을 가져다 주었고, 그와 아내는 공동체를 위한 일에 헌신했다.

어느 날, 젊은 부부가 예쁜 딸아이와 함께 그의 집 근처로 이사를 왔다. 뒤이어 부부는 그의 집을 방문했다.

젊은 부부의 귀여운 딸은 그를 "할아버지"라고 부르면서 이야기를 즐겁게 들었다. 귀여운 소녀는 그와 함께 있는 것을 즐거워했다. '할아버지'에게서는 분명히 무언가 특별한 점이 느껴졌다. 다만 소녀는 그게 무언지 모를 뿐이었다. '할아버지'는 행복한 것 같았고, '할아버지'와 함께 있을 때면 소녀도 행복하고 즐거웠다.

왜 할아버지는 그렇게도 특별한 분인지, 소녀는 궁금했다.

'어떻게 저렇게 나이드신 분이 그렇게 행복할 수 있을까?'

어느 날 소녀는 그 궁금증을 직접 물었다. 이제 노인이 된 그는 부드럽게 미소 지으며 소녀에게 '소중한 선물'에 대해 얘기했다.

귀여운 소녀는 기뻐서 깡충깡충 뛰었다. 소녀가 밖으로 놀러나가면서 "와아!" 하고 외치는 소리가 들렸다.

"언젠가는 나도 선물을 받았으면 좋겠다……."

세상에서 가장 소중한

선물을 말야!

이야기가 끝난 후에

빌의 이야기를 다 듣고 난 후, 리즈는 미소를 지으며 말했다.

"잘 들었어요. 정말로 좋은 이야기군요. 나에게 꼭 필요한 이야기예요. 직접 보았겠지만 메모를 참 많이 했어요. 생각해야 할 것들이 아주 많군요."

리즈는 잠시 생각에 잠기면서, 방금 들었던 이야기를 머릿속으로 정리했다.

"빌, 그 이야기를 들려주어서 정말로 고마워요. 이것을 실제로 활용해보고 어떤 일이 일어나는지 봐야겠어요. 그런 후에 다시 만나서 얘기해도 돼요?"

"물론이죠."

"만나서 정말로 반가웠어요."

리즈는 정말 고맙다고 인사한 뒤 잠시 환담을 나누고 자리에서 일어났다. 리즈가 떠난 뒤에 빌은 그녀가 그 이야기에서 무엇을 배웠는지 궁금해졌다. 그리고 시간이 지나면 자연스럽게 그걸 알 수 있을 거라고 생각했다.

얼마 후, 아침에 직장에서 팀원들과 회의를 마친 후에 보니 빌에게 음성 메시지가 남겨 있었다. 리즈가 보낸 메시지였다.

"빌, 조만간에 같이 점심을 먹을 수 있을까요?"

그로부터 며칠 뒤에, 빌은 전에 만났던 그 식당으로 갔다. 리즈는 먼저 와 있었다. 그녀는 피곤하거나 불안해 보이지 않았다. 오히려 정반대였다.

"리즈, 정말 좋아 보이는군요. 무슨 좋은 일이라도 있었나요?"

리즈가 미소를 지었다.

"빌, 그때 그 이야기 기억해요? '세상에서 가장 소중한 선물' 이야기 말이에요."

빌이 고개를 끄덕였다.

"물론이죠. 기억하고말고요."

"그때 이후로 많은 일들이 일어났어요. 그래서 빨리 그것들을 얘기하고 싶어졌어요. 지난번 점심 식사 때 빌 당신이 정말 많이 변했다는 걸 두 눈으로 확인했거든요. 정말이지 놀랄 정도로 전보다 훨씬 더 좋아 보였어요! 그래서 그 이야기에 대해 더 많은 생각을 하기 시작했죠. 빌도 그 이야기 때문에 크게 변한 것 같다는 생각이 들어서."

리즈는 계속 말을 이어갔다.

"며칠 후에 직장에서 다시 그 이야기가 떠올랐어요."

"마침 그때는 상사와의 불화 때문에 지쳐 있었을 때였죠. 엄청난 업무량 때문에 녹초가 돼 있는데 상사는 빨리 마케팅 계획을 수정하라고 다그치지 않겠어요. 하지만 나는 그것을 바꿀 필요가 없다고 생각했죠. 그것말고도 밀려 있는 일이 많은데 더 많은 것을 요구하니 어떻게 화가 안 나겠어요?"

잠시 리즈는 숨을 고른 뒤에 자세히 설명했다.

"상사는 계속 어떻게 경기와 시장이 변하고 있는지, 그리고 우리는 그것이 어떻게 적응해야 하는지만 얘기했어요. 그럴수록 그 말을 듣고 싶지 않았죠. 늘 귀에 못이 박히도록 들어온 얘기니까. 상사는 왜 아직도 새 마케팅 계획을 내지 않느냐고 다그쳤어요.

그러면서 하는 말이, 내가 아직도 과거의 성공에만 연연해한다고 하지 뭐예요. 그 말은 지나치게 과거에 얽매여 안주한다는 의미였죠. 처음에는 그것을 무시해버렸답니다. 해야 할 일이 너무 많았으니까요. 하지만 문득 '소중한 선물' 이야기에서 노인이 이렇게 말한 것이 생각났어요.

> "과거에서 배우는 것은 좋은 일이지만, 과거에 얽매이는 것은 좋은 일이 아니다."

그 생각을 하자 내 자신이 너무 오랫동안 과거 속에서 산 게 아닌지 의심스럽더라고요. 게다가 미래에 대해서도 너무 걱정하고 있었어요. 미래에 대한 준비가 전혀 없다고 느꼈거든요."

리즈가 웃으면서 얘기했다.

"그 동안 현재 속에서 살고 있지 못했어요! 어쨌든, 그 이야기에서 특히 마지막 부분을 깊이 생각했어요."

"어느 부분을 말하는 거죠?"

"현재 속에서 산다는 것은 바로 지금 우리의 소명이 무엇인지 깨닫고, 그에 따라 행동한다는 뜻이라고 깨닫는 부분 말예요. 처음에는 그걸 제대로 이해하지 못했어요. 하지만 때때로 하던 일을 멈추고 이렇게 묻곤 했죠. '바로 지금 내 소명은 무엇일까? 그것을 실현하기 위해 난 지금 무엇을 하고 있지?'

그때마다 확실히 익혀두기 위해 적어놓은 메모를 들춰보곤 했어요. 배운 걸 실제로 사용하기 위해 몇 가지 방법들을 덧붙이기도 했죠. 그런 다음, 실제로 적용시켜보았어요.

제일 처음 시도해본 건 어느 날 아침 출근 준비를 하면서였어요. 평소에는 그 시간이 '너무 바빠서' 아이들에게 관심을 전혀 쏟지 못했거든요. 하지만 현재에 집중해서 내 소명을 깨닫는 순간, 내 아들이 원하는 관심을 보여줄 수 있었답니다.

아들이 원하는 대로 함께할 수 있었어요. 현재 내 아들에게 중요한 것에 관심을 기울일 수 있었어요. 그 결과는 우리 두 사람 모두에게 좋은 것이 됐답니다. 모두 즐거운 시간을 보낼 수 있었죠. 이제 그런 시간을 더 자주 즐기고 있어요.

현재 속에 몰입하는 것이 얼마나 쉬운지, 그리고 그것이 얼마나 큰 차이를 만드는지, 정말이지 놀라워요."

리즈가 다시 말했다.

"내게는 물론이고, 내가 그 이야기를 들려준 다른 사람들에게도 얼마나 큰 영향을 주었는지 놀라고 있는 중에요."

"다른 사람들이라구요?"

"그래요. 예를 들자면, 얼마 전 우리 회사의 판매왕 가운데 한 사람이 기가 죽어 있더라구요. 그래서 함께 커피를 마시자고 했죠. 왜 그렇게 기운이 없어 보이는지 물었더니 커미션 수입이 작년 이맘때에 비해서 절반밖에 안 돼서 그렇다고 불평하더군요.

그 사람 말로 이유는 이런 것이었어요.

'경기가 지금 너무 안 좋아요. 이런 상황에서는 누구도 판매를 할 수가 없어요.'

그러면서 정말로 화가 난 표정을 지으며 이러더군요. '상사는 예전보다 실적이 나빠진 이유가 내가 게으름을 피웠기 때문이라고 생각해요. 그게 말이 돼요? 내가 작년에 회사에 벌어준 돈이 얼만데. 그걸 감안해서라도 날 인정해주어야 하지 않나요?'"

리즈는 계속 말을 이어 나갔다.

"그래서 그에게 '소중한 선물' 이야기를 들려주었죠. 그게 벌써 3주 전 얘기군요. 며칠 전 그가 얼굴 가득 환한 미소를 지으며 찾아왔어요. '와, 너무 좋아 보여요. 무슨 일이 있었나요?' 그 사람이 큰소리로 외치더군요. '방금 대단한 실적을 올렸습니다!' 그러고는 한동안 그 얘기를 했어요. 그는 어떻게 과거를 보내고 현재 속에서 살 수 있는지 배웠기 때문에 더 잘하고 있다고 그러더군요.

전에는 큰 수익을 냈는데 이제 와서 왜 그렇게 실적이 나빠진 것인지를 생각하면 늘 화가 치밀었는데, 그걸 고객들이 느낀 것 같다는 말도 했어요.

그러면서 이렇게 말했죠. '이제는 고객의 얼굴에서 부정적인 표정을 볼 때마다 내 생각을 돌아보곤 합니다. 이를테면 작년에 비해 올해는 실적을 올리는 것이 얼마나 힘든지 하는 생각말예요.'

또 이런 말도 하더군요. '그러면 바로 지금 내 소명은 무엇이며, 목표를 달성하기 위해, 혹은 고객의 욕구에 부응하기 위해 무엇을 하고 있나를 자문합니다.', '대체로 그때마다 깨달음을 얻고, 내 걱정과 근심은 고객에게 중요한 것이 아니란 걸 알아차려요. 결국 내 소명은 고객이 원하는 것을 얻도록 돕는 것인 걸요.', '이제 과거를 보내고 완전히 현재에 몰입할 때, 바로 지금 고객의 욕구 충족을, 오직 그것만을 어떻게 도울 수 있는지에 집중할 수 있게 됐어요. 그리고 그렇게 하면, 짜잔! 실적이 오른다는 겁니다.'"

리즈는 이제 이야기하는 데 신이 났다.

"그는 바로 '오늘' 자신이 할 수 있는 최선을 다해야 한다는 점을 발견했어요. 왜냐하면 그것만이 그 사람을 통제할 수 있기 때문이죠. 그때마다 얼마나 좋은 결과가 나오는지 스스로도 놀란다고 하더군요. 게다가 그것을 알게 된 순간 스트레스까지 사라지기 시작했다나요. 결과적으로 다시 일을 즐길 수 있게 된 거죠.

그 사람은 '소중한 선물' 이야기에서 — 적어도 자신이 기억하는 방식으로 — 몇 구절을 적어 사무실 벽에 걸어놓기까지 했어요! 나도 그걸 봤고요!"

빌은 리즈를 바라보면서 미소를 지었다.

"정말 멋지군요. 그 밖에 다른 사람들에게도 그 이야기를 했어요?"

"그럼요. 가장 친한 직장 친구가 얼마 전에 이혼했어요. 너무 마음이 아파 화가 나더래요. 그 바람에 직장 생활도 무척 힘들어하더라고요. 결국 두 가지 업무를 마감시한까지 넘기고, 툭하면 아프다고 결근해서 윗사람들이 무척 화가 났죠.

어느 날 저녁, 그 친구 집에 찾아갔어요. 꽤 오랫동안 얘기를 나눈 뒤에 '소중한 선물' 이야기를 들려줬죠. 며칠 뒤에 그 친구가 내 책상에 작은 통을 갖다 놓더군요. 그러면서 자신이 현재 속에서 살지 못할 때나, 이혼 때문에 전 남편에게 화를 낼 때마다 그 통에 1달러씩 넣겠다고 그러더라고요.

또 언젠가 돈을 넣지 않게 될 때 크게 한턱내겠다고 하더군요. 그러면서 활짝 웃었어요. 틀림없이 한턱낼 만큼 충분히 돈이 모일 것이라면서.

어땠는지 아세요? 처음 몇 주일 동안은 거의 한 시간에 한 번씩 내 사무실에 와서 과거에 대한 회한이나 후회에 빠질 때마다 1달러, 2달러, 어떤 땐 3달러를 넣곤 했어요. 하지만 서서히 액수는 줄어들었죠. 이번주에는 놀랍게도 그 통에 돈이 전혀 들어오지 않았어요. 며칠 전 친구는 과거를 후회하는 데 얼마나 많은 시간과 돈을 낭비하고 있는지 눈으로 직접 보고 나서야 그것이 얼마나 자신에게 해가 되는지 알았다고 했어요.

그때 그녀는 최악이었어요. 업무에 집중하지도 못했고, 친구들은 그녀의 불평에 넌더리를 냈고, 그녀는 맥이 빠져서 기운이 거의 바닥까지 떨어졌죠. 마치 자신의 소명이 앞으로 나아가며 더 나은 인생을 다듬어가는 게 아니라, 계속 상처받고 화를 내는 것인 양 행동했어요.

하지만 이제는 과거를 더 잘 잊기 위해서라도 현재 이 순간을 더 잘살 수 있게 됐대요. 특히, 멋진 미래를 마음속에 그리는 게 큰 도움이 된다고 하더군요."

"이제 그 친구는 퇴근하면 어떻게 아이들과 즐거운 시간을 보낼 것인지부터 생각해요. 차에서 내려 집으로 들어가기 직전에 앞으로 몇 시간 동안 어떻게 가족과 즐겁게 보낼 건지 상상한답니다. 신문이나 TV를 보면서 맥없이 앉아 있고 싶지는 않대요. 자신이 보다 편안해진 사람으로서 가정 생활을 즐기고 사랑스런 부모가 되는 모습을 그려 보곤 한답니다. 친구 스스로도 이제 집에서 얼마나 더 좋은 시간을 보내는지 놀라곤 할 정도죠."

리즈가 말을 계속 이어갔다.

"말할 필요도 없이 그 친구는 이제 직장에서도 훨씬 더 좋은 시간을 보내고 있어요. 그리고 몇몇 사람들, 특히 그녀의 상사가 그것을 알게 됐어요. 오늘 아침에는 내 사무실에 와서 이러더라고요. '기대해. 다음주엔 멋진 저녁을 먹게 될 것 같아! 물론 내가 내는 거지.' "

"리즈, 정말로 반가운 소식이군요."

"그럼요, 정말 그렇죠?"

그런 후에 리즈는 말했다.

"또 있어요. 남편에게도 내가 직장 동료들과 얼마나 더 가까워졌는지, 그리고 그게 다 '소중한 선물' 이야기 덕분이란 걸 얘기했어요."

"남편은 늘 우리가 어떻게 애들 뒷바라지를 할 건지 돈

걱정만 하는 사람이랍니다. 우리 쌍둥이는 이제 겨우 다섯 살인데 글쎄 지금부터 대학 등록금 걱정을 한다니까요. 남편은 빨리 승진해서 더 많이 벌어야 더 큰 집을 살 수 있다고 투덜거려요. 또 나중에 은퇴 후에 쓸 돈을 충분히 모으지 못할까봐 걱정해요. 우리 가족에 대한 그런 책임감과 애정은 물론 고맙죠. 하지만 그게 모두 남편에게는 스트레스를 주는 걸요.

진작부터 남편에게도 '소중한 선물' 이야기를 해주고 싶었는데 본인이 듣고 싶어할 때까지 기다리기로 했어요. 그러던 어느 날, 저녁 때 그걸 묻더라고요. 그래서 그가 좋아하는 포도주를 한 잔 따라준 후에 이야길 들려주었죠.

남편이 얼마나 정성껏 귀를 기울였는지는 모르겠어요. 하지만 이야기를 끝냈을 때 이러더군요. '그 얘기에서 마음에 드는 부분은 우리가 미래 계획을 세우고 있으면 걱정을 덜 하게 된다는 부분이야. 그러면 미래를 더 잘 알 수 있을 테니까.' 그러면서 물었어요. '그 노인이 현재에 대해 한 얘기가 뭐였더라? 현재보다 나은 미래를 원한다면 미래를 위한 계획을 세워야 한다' 였던가? 그러곤 한다는 말이 '내가 볼 때 우린 그 일을 충분히 하지 않은 것 같아' 이러더군요."

리즈는 계속했다.

"남편 말은 옳았어요. 나는 미래 계획을 충분히 세우지 않았어요. 그건 큰 결점이죠. 남편은 토요일 아침에 시간을 내서 우리의 재정 상태를 확인해보자고 하더군요. 물론 나도 동의했구요. 그러면서 그 동안 내가 지출한 내역과 그 밖에 필요한 것들도 정리할 수 있겠다고 했지요. 남편은 그 말에 기분이 좋아 보였어요.

우리의 노후 생활을 생각해보는 아주 좋은 시간이었어요. 지금까지 한 번도 그런 시간을 내본 적이 없거든요. 그 동안 전혀 생각해보지 못했던 것까지 점검해봤다니까요. 며칠 후에 남편이 다정하게 나를 껴안더군요. '왜 그렇게 기분이 좋은데?' 하고 물으니, 남편이 '훨씬 더 행복한 것 같아' 그러잖아요.

'왜?' 하고 되물었죠. 남편이 이러더군요. '그 이야기

덕분에 그 동안 내가 미래에 너무 몰두하는 바람에 바로 지금 — 바로 오늘! — 우리가 갖고 있는 것을 즐기지 못했다는 걸 깨달았지. 그 동안 오로지 돈을 더 버느라 등이 휘도록 일했어. 그러다가 갑자기 일 년에 백만 달러를 번다 해도, 늘 부족한 그 무엇이 있을 거라는 걸 알게 됐어.'"

"마침내 남편은 '사업적인 미래'를 위해 너무 애쓰느라 '가족의 현재'는 즐기지 못했다는 걸 깨달은 거죠. 애초에 그렇게 열심히 일하는 이유가 무엇인지를 잊고 있었던 거예요. 그의 말로는 심지어 자신의 소명은 돈을 벌어 가족을 부양하고 사랑하는 데 있는 게 아니라, 그냥 돈을 버는 데 있는 것처럼 행동했다고 했어요.

또 이런 말도 했어요. '매일 매일을 있는 그대로, 보다 충실하게 살아야 하며, 미래에 막연한 불안감을 가져서는 안 된다는 걸 깨달았어. 우리 두 사람이 행복한 모습을 본다면 아이들은 우리가 어떤 집에 살건, 혹은 어떤 차를 몰건 행복할 거야. 물론 지난 주말에 그랬듯이 우리의 미래를 계획하는 것도 중요해. 하지만 미래 속에서 살아서는 안 될 거야. 리즈, 나는 이제 그 차이를 알게 된 것 같아.'"

리즈는 잠시 말을 멈추고, 남편과 함께한 경험을 떠올렸다.

빌이 미소를 지었다. 잠시 후에 그가 말했다.

"직장에서도 성공적으로 적용되고 있나요?"

"그럼요. 우린 최근에 어떤 사업부가 그 동안 가장 인기 있었던 제품에서 매출이 줄어들고 있다는 보고를 받은 적이 있어요."

"그 '소중한 선물' 이야기에서도 그랬던 것처럼 예산 삭감과 인원 감축이 있을 거라는 소문이 돌았죠. 일부 동료가 직장을 떠날지도 모른다는 생각에 불안했고 걱정도 컸어요. 그렇게 되면 어떻게 해야 하나 하고 자문자답하기도 했죠.

나는 우리가 더 좋은 신제품을 개발하는 데 집중해야 한다고 생각했어요. 그래서 전 직원에게 우리 제품의 미래에 대한 아이디어를 짜내보도록 메시지를 보낸 뒤에 이튿날 아침 두 시간 동안 회의를 하자고 제안했어요.

회의는 활력이 넘쳤고, 예상보다 한 시간이나 더 걸렸어요. 결국 점심때쯤 중요한 돌파구를 찾았죠. 오후에는 직원들이 몇 가지 더 세부적인 개선사항을 제안했어요.

나는 우리가 미래 계획을 세우면서 지금 해야 할 일을 시작하는 걸 봤어요. 그리고 회사의 현재 욕구에 다시 집중하면서 그에 맞춰 행동할 수 있었답니다.

그날 퇴근한 후에는 딸아이의 하계 축구대회에 참석했고요. 그리고 그곳에 있을 때 현재에, 그러니까 내 딸에게 집중하면서 회사의 신제품에 대한 생각은 잠시 잊었어요. 그 문제는 다음에 처리하면 되니까요. 축구 경기가 끝났을 때, 나는 그 자리에서 내 딸을 위해, 그러니까 현재에 존재할 수 있었어요. 전에는 그런 적이 한 번도 없었죠."

"물론 바로 '지금' 중요한 것은 늘 변한다는 걸 압니다. 하지만 내 소명을 생각하면서 내 행동이 앞으로 어떻게 변

할지 분명히 가늠할 수 있어요. 나만 그런 게 아네요. 우리 가족과 직장 동료들도 그 방법을 많이 배웠어요."

"리즈, 그때 직접 적은 메모를 그들에게도 보여주었어요?"

"네, 그랬어요! 그 메모를 보면서 최대한 기억을 살려 그 이야기를 적었어요. 그런 후에 그걸 몇몇 사람에게 들려주었죠. 물론 그 이야기를 듣거나 읽은 사람들 모두가 도움을 받은 건 아니었어요. 그렇지 못한 사람도 일부 있었죠. 하지만 도움을 받은 사람들은 우리 회사에 긍정적인 영향을 끼치고 있어요. 사실 그건 상당한 차이를 만들었어요!"

리즈가 제안했다.

"당신이 와서 직접 그건 확인할 수도 있을 거예요."

빌은 그러고 싶다고 말하면서, 조만간 그렇게 하겠다고 했다.

어느덧 시간은 한참 흘러가 있었다. 리즈는 손목시계를 보고 나서 돌아갈 시간이 되었음을 깨달았다. 그녀는 계산

서를 집어들며 말했다.

"빌, 정말 고마워요. 그 '소중한 선물' 이야기를 들려주어서 말예요. 그게 모든 걸 바꾸었어요."

"천만에요, 리즈. 많이 도움이 됐다니 나야말로 정말 기뻐요. 그리고 더 많은 사람들이 현재 속에서 살고 일하면서 본인과 가족, 회사까지 번창한다는 것을 깨달았다니 더더욱 기쁘군요. 그건 직접 경험했죠?"

"그래요. 직장에서 업무를 처리하거나 그냥 가족들과 좋은 시간을 보내거나 그것이 정말 멋진 선물이란 걸 알게 됐어요. 그건 정신적인 행복에도, 실생활에도 정말 큰 도움이 되는 소중한 선물이에요. 앞으로도 그 선물을 내 일상과 직장에서 더 자주 사용할 거예요. 물론 다른 사람들에게도 그 선물의 소중한 가치를 계속 알릴 거고요."

그러면서 그녀가 말했다.

"직장과 가정에서 사람들이 더 행복해지고 더 성공적이게 된다면, 그건 우리 모두에게 좋은 일이죠."

빌이 미소를 지으며 말했다.

"예전의 그 '의심쟁이' 친구는 어떻게 됐나요?"

리즈도 미소를 지으면서 대답했다.

"그 친구는 이제 완전히 변했어요. 왜냐하면……,"

세상에서 가장 소중한 선물을

받았기 때문이죠!

옮기고 나서

몇 년 전, 미국과 우리 나라를 비롯한 전세계에서는 한 권의 작은 책이 선풍적인 인기를 끌었다. 《누가 내 치즈를 옮겼을까?》라는 제목의 그 책은 '변화'라는 주제를 우화 형식으로 흥미롭게 다루었다.

이제, 그 책의 저자인 스펜서 존슨은 또 다시 짧은 우화 형식을 빌려 그보다도 더 흥미롭고 훨씬 더 소중한 책을 발표했다. 그 책이 바로 이 책이다.

이 책의 번역 의뢰를 받고 나서 원서를 읽어보다가 나는 깜짝 놀랐다! 나 역시 몇 달 전에 지난 세월을 돌아보고 최근 일 년 동안의 실패를 반성하면서 새로운 깨달음을 얻고 있었던 참이었으므로.

나는 그와 같은 깨달음이 내 자신은 물론이고 많은 사람에게도 삶의 본질을 제시하는 것이라고 생각했다. 또 그것이 정말로 소중한 선물이기에 저절로 고마운 마음이 들었다. 이제 나는 이 내용을 공개적인 강연으로 구상하고 있었다.

그런데 내가 구상하고 있던 강연 내용이 이 책 내용과 너무나 흡사했다! 표현 방식은 다소 다르지만, 기본적인 개념은 거의 똑같았다(내 강연은 보다 개인적이고 한국적인 내용이라고 할 수 있다).

'작은 것이 아름답다' 는 말이 있다. 많은 경우에 진리는 오히려 간단한 것이다.

나는 존슨 박사의 이 작은 책이 삶의 궁극적인 방향을 제시한다고 믿는다. 이 책은, 그의 전작《누가 내 치즈를 옮겼을까?》와 마찬가지로, 우리 사회의 대다수를 구성하는 직장인들에게 초점이 맞추어져 있다. 또 그것을 하나의 프로그램으로 상당히 치밀하게 구성하고 있다.

이 책을 읽고 많은 독자들이 삶의 지혜를 깨달아 더 성공하고 더 행복하게 살기를 바라는 마음 간절하다.

형선호 드림

옮긴이 _ 형선호
서울대학교 사회대학을 졸업하고 대우그룹과 현대그룹에서 근무했으며, 영어 강사를 거쳐 전문 번역가로 일하고 있다. 지금까지 《부자 아빠 가난한 아빠》, 《보보스》 등 50여 권의 책을 번역했다.

선물

초판 1쇄 발행 _ 2003년 12월 15일
초판 46쇄 발행 _ 2006년 11월 23일

지은이 _ 스펜서 존슨
옮긴이 _ 형선호

발행인 _ 최동욱
총편집인 _ 이헌상
편집인 _ 김우연
표지 · 본문 디자인 _ 디자인 붐
펴낸 곳 _ 랜덤하우스코리아(주)
주소 _ 서울시 중구 정동 34-5 배재빌딩 B동 6층
편집팀 전화 _ 02-3705-0118
판매팀 전화 _ 02-3705-0108
찍은 곳 _ 삼화인쇄
홈페이지 _ www.randombooks.co.kr
등록 _ 2003년 3월 10일 제 2-3726호

값 _ 8,500원
ISBN 89-5757-218-X 03800